Éditions Druide
1435, rue Saint-Alexandre, bureau 1040
Montréal (Québec) H3A 2G4
www.editionsdruide.com

GRIMOIRES

Collection dirigée par
Anne-Marie Villeneuve

DU MÊME AUTEUR

« Les cocos », dans *Treize à table*, recueil de nouvelles sous la dir.
   de Chrystine Brouillet et Geneviève Lefebvre, Druide, 2018.
« Le djihad félin du Petit Champlain », dans *Comme chiens
   et chats*, recueil de nouvelles, Stanké, 2016.
« L'homme est un loup pour l'homme », dans *Sous la ceinture –
   Unis pour vaincre la culture du viol*, recueil de nouvelles,
   Québec Amérique, 2016.
Parce que tout me ramène à toi, roman, Druide, 2015.
À cause des garçons, roman, Druide, 2013.

LILIE
1 - L'APPRENTIE PARFAITE

**Catalogage avant publication de Bibliothèque et Archives nationales
du Québec et Bibliothèque et Archives Canada**

Larochelle, Samuel, 1986-
Lilie : roman
(Grimoires)
Sommaire : tome 1. L'apprentie parfaite.
Pour les jeunes.

ISBN 978-2-89711-405-3 (vol. 1)
I. Larochelle, Samuel, 1986- . Apprentie parfaite.
II. Titre. III. Collection : Grimoires.
PS8623.A762L54 2018   jC843'.6   C2017-941958-7
PS9623.A762L54 2018

Direction littéraire : Anne-Marie Villeneuve
Édition : Luc Roberge et Anne-Marie Villeneuve
Assistance à l'édition : Elisanne Crevier
Révision linguistique : Lyne Roy et Isabelle Chartrand-Delorme
Assistance à la révision linguistique : Antidote 9
Maquette intérieure : Anne Tremblay
Mise en pages et versions numériques : Studio C1C4
Œuvre en page couverture : Shutterstock : © majivecka/Roman Art/
Marharyta Kuzminova/Shorena Tedliashvili
Conception graphique de la couverture : Gianni Caccia
Photographies de l'auteur : Maxyme G. Delisle
Diffusion : Druide informatique

Les Éditions Druide remercient le Conseil des arts du Canada et la SODEC
de leur soutien.
Gouvernement du Québec — Programme de crédit d'impôt pour l'édition de livres —
Gestion SODEC.
Ce projet a été rendu possible en partie grâce au gouvernement du Canada.

Canadä

ISBN PAPIER : 978-2-89711-405-3
ISBN EPUB : 978-2-89711-406-0
ISBN PDF : 978-2-89711-407-7

Éditions Druide inc.
1435, rue Saint-Alexandre, bureau 1040
Montréal (Québec) H3A 2G4
Téléphone : 514-484-4998

Dépôt légal : 1er trimestre 2018
Bibliothèque et Archives nationales du Québec
Bibliothèque et Archives Canada

Imprimé au Canada

Samuel Larochelle

LILIE
1 – L'APPRENTIE PARFAITE

Roman

Druide

PROLOGUE

Septembre 2005

Je pense que je suis en train de devenir un génie. Bon, peut-être pas au sens habituel du terme. Je ne suis pas la fille qui a gagné un concours international de vocabulaire en épelant le mot « ornithorynque », à cinq ans, en sachant où placer le foutu « y ». Je n'ai pas – encore – inventé la téléportation ni trouvé un moyen de pirater l'ordinateur de J.K. Rowling pour connaître la fin de Harry Potter avant tout le monde. Et mon meilleur ami Émile me répète depuis des années que je n'ai aucune logique quand j'affirme que les femmes sont plus tolérantes à la douleur que les hommes. Ma théorie se résume à un mot : accouchement.

Peu importe. Après des mois à chercher dans tous les sens, j'ai enfin trouvé comment ne plus douter de mon talent, devenir une musicienne surdouée, avoir un métier qui me fait voyager et mettre le plus de kilomètres possible entre mes parents et moi. Ma méthode ? Consacrer la majorité de mon temps à la musique dans les plus brefs délais, afin de rentabiliser les meilleures années d'apprentissage de mon cerveau et de mon corps. Le seul petit obstacle qui m'éloigne du statut de génie, c'est que je devrais un peu… lâcher l'école.

Comprendre ici : faire capoter mes parents.

Comprendre ici : me priver du minimum de vie sociale que j'ai en dehors de ma relation avec mon voisin.

Comprendre ici : demander une rencontre d'urgence avec le ministre de l'Éducation pour qu'il change la loi forçant les adolescents à fréquenter l'école jusqu'à seize ans OU assumer le statut de fugitive, parce que je suis quinze mois trop jeune pour dire adieu à mes profs.

N'importe qui peut penser que ma méthode ne vaut rien dans le vrai monde et que je vais devoir attendre longtemps avant de recevoir l'épinglette officielle des génies. Cependant, j'ai une question pour tous ceux qui me trouvent déconnectée, qui jugent mon rêve de musique à temps plein et qui me rappellent gentiment qu'il faut un baccalauréat, trois maîtrises et un doctorat pour réussir dans la vie : à quoi bon remplir mon esprit de nouvelles théories en sciences, en mathématiques ou en français ? Je suis déjà assez brillante pour constater que l'obligation de conjuguer le mot « génie » au masculin est une preuve de sexisme ET une démonstration très claire que la société devrait revoir ses règles et ses obligations. Si j'étais premier ministre (tiens donc, une autre affaire qui ne se conjugue presque jamais au féminin…), j'adopterais illico une loi spéciale pour les jeunes avec un talent rare. Je leur donnerais le droit de dédier la majeure partie de leurs énergies à perfectionner leur passion, en diminuant de moitié le temps investi dans leurs cours de base et en prenant une ou deux années supplémentaires pour obtenir leur diplôme d'études secondaires. Comme le font les jeunes athlètes et artistes qui ne respectent pas la durée socialement bien vue pour obtenir leur diplôme d'études collégiales ou universitaires.

Cela dit, je ne suis pas encore prête à porter les étiquettes de rebelle et de future politicienne. Je ne serai pas celle qui va lancer une révolution. Et la meilleure façon de faire mon nom en musique classique est d'étudier dans les grandes écoles. Donc, je ne gagnerai rien à préparer ma retraite anticipée de la polyvalente.

De toute façon, même si le Québec encadrait différemment les jeunes avec un talent rare, j'aurais toute la difficulté du monde à me convaincre moi-même que j'en fais partie…

1

— Lilie Jutras !

Mon meilleur ami me pourchassait avec un éclat de folie dans le regard. Je regardais par-dessus mon épaule dès que j'en avais l'occasion, en espérant l'avoir semé. Malheureusement, chacune de ses enjambées me rappelait qu'il mesurait quarante centimètres de plus que moi. Pour lui échapper, je devais miser sur ce qui m'avait permis de survivre à mes frères jusqu'à l'adolescence : je n'abandonne jamais face à la compétition !

Rapide et agile, j'essayais de ne pas perdre pied dans le sable, mais comme Émile avait lui aussi grandi avec une plage dans sa cour arrière, aucune maladresse n'était permise. En temps normal, n'importe qui aurait parié la moitié de sa fortune sur moi, étant donné que mon voisin était reconnu pour avoir en horreur l'activité physique. Par contre, quelque chose d'inhabituel semblait l'habiter et compenser son cardio de tortue-de-cent-trois-ans-qui-a-trop-mangé.

— Tu vas me le payer ! cria-t-il en rétrécissant l'écart qui nous sépare.

Amusée par la touche dramatique qu'il ajoutait à notre chasse, je tentais sans succès d'étouffer un rire.

— T'as pas le droit de me pitcher dans l'eau! répliquai-je. Je vais mourir gelée!

Vingt secondes plus tard, je sentais sa main agripper mon capuchon et son grand corps me plaquer au sol. Je me débattais comme un poisson hors de son bocal, pendant qu'il m'enrobait de ses trop longs bras et traînait mon corps jusqu'à la rive. Je craignais qu'il se venge en me plongeant dans un état d'hypothermie, mais il s'est emparé d'une poignée de sable mouillé pour offrir à mes cheveux un shampoing. Je hurlais de dégoût avec une telle force que nos voisins auraient probablement appelé la police s'ils n'étaient pas déjà habitués de nous entendre nous chamailler comme des enfants qui ont oublié de vieillir.

— Émile, arrêêêêête! *Pleaaaaaase!* suppliai-je jusqu'à ce qu'il prenne une pause pour considérer ma demande. Je vais cochonner la salle de bain et ma mère va me tomber dessus…

— Désolé mademoiselle, répondit-il avec un ton faussement formel. Le jury rejette votre appel et vous condamne à cinq minutes de torture!

Je le fixais, apeurée, quand il a commencé à chatouiller mes flancs comme s'il n'y avait pas de lendemain. Avec l'énergie du désespoir, j'ai renversé Émile sur le dos et couvert son visage de bouette jusqu'à ce qu'il m'implore d'arrêter:

— C'est tellement injuste…, gémit-il, c'est toi la grosse méchante, pis c'est moi qui me fais battre!

Par «grosse méchante», il faisait référence à un petit tour de rien du tout que je lui avais joué un peu plus tôt dans la journée. J'avais déjoué ses gardes en visant son point faible : son amour démesuré pour les sucreries, et plus particulièrement pour la *slush*. Chaque fois que nos horaires nous permettaient e rentrer ensemble de la poly, Émile me priait d'arrêter pour en acheter. Lorsqu'il m'a rejointe cet après-midi, j'ai fait semblant de boire dans un verre en carton et d'être trop pressée pour aller au dépanneur. Mais, au moment où nos maisons sont apparues dans notre champ de vision, j'ai accepté de lui donner une gorgée. Trop pressé d'ingurgiter sa dose de sucre, il n'a jamais réalisé que la paille dans laquelle il inspirait intensément était plantée dans un minicontenant de sauce barbecue, agrémentée de quinze gouttes de tabasco…

— Arrrrrkkkkkeeeeeee !

Sa réaction valait tout l'or du monde.

Nous nous faisions subir des mauvaises farces du genre trois ou quatre fois par année. Cela mettait un peu de piquant dans nos vies d'adolescents trop sérieux : j'étais obnubilée par mes pratiques de musique et Émile consacrait un nombre d'heures incalculables à la photographie. Il avait développé sa passion durant sa préadolescence. Une façon de s'occuper pendant que je répétais et d'imiter Paul, son papa photographe. Nous étions deux boules d'énergie avec un monde intérieur surdéveloppé et des rêves surdimensionnés.

Au bout d'un quart d'heure de bataille sur le sable froid, Émile m'a relâchée pour s'étendre à mes côtés.

— C'est épuisant, être ton ami !

— Tu t'en viens pas pire, répliquai-je en lui donnant un petit coup de jointure sur l'épaule. Je pense que c'est la première fois que tu as le dessus sur moi, genre deux minutes…

Il a fait une grimace, en laissant ses doigts glisser dans les miens. Plus qu'un symbole de trêve, son geste m'invitait à me lover dans le silence. Sans me faire prier, j'ai plongé mon regard dans le fleuve, quitté la rive et me suis imaginée ailleurs, loin de cette ville où rien n'a de sens.

Rien, sauf Émile.

:::

Depuis des années, ma plus grande obsession – après la musique – était sans contredit mon âge. Évidemment, je ne me préoccupais pas des futurs signes de vieillissement de mon corps et je ne m'inquiétais pas de ce que j'avais accompli jusqu'à présent. Par contre, j'étais déçue d'être une simple mortelle.

Gros statement *dramatique, je sais.*

Mon anniversaire aura lieu dans trois mois, le 9 décembre. À mes yeux, la quinzaine marquera le début du décompte fatidique jusqu'à mes seize ans. Parce que, contrairement à ceux qui calculaient les jours les séparant de leur permis de conduire, j'étais obnubilée par un truc un peu gênant.

Mécanisme d'autojugement : enclenché.

J'avais l'impression que mon seizième anniversaire était la date d'expiration d'une possible existence… avec des pouvoirs surnaturels. Depuis des années, j'espérais me réveiller avec un gène mutant, une baguette magique dans les mains ou n'importe quoi d'extraordinaire. Je ne m'étais pas encore remise du matin de mes onze ans, lorsque j'avais réalisé qu'aucun géant barbu ne viendrait me délivrer de ma famille désolante pour me conduire dans un château où ma nature de sorcière me serait révélée, après avoir mangé plein de bonbons aux saveurs étranges dans un train.

Soupir.

Aujourd'hui, mon seul espoir se résumait à vivre ce qui s'était produit dans le premier épisode de *Sabrina, l'apprentie sorcière*, lorsque la blondinette avait découvert qu'elle avait des pouvoirs le jour de ses seize ans.

Oui, oui, je sais... ce ne sont pas des choses que les gens normaux disent à voix haute.

Pourtant, j'ai toujours pensé que ceux qui assumaient leur bizarrerie méritaient davantage mon attention que ceux qui ressemblaient à tout le monde. Aussi bien appliquer ce que j'encourageais.

OK, j'ai peut-être consommé un peu trop de science-fiction, aussi...

J'ai visionné les premiers *X-Men* au moins cinq fois chacun. Je ne me suis jamais endormie devant les versions allongées du *Seigneur des anneaux*. J'ai lu tous les *Harry Potter* traduits en français, et je jalousais Émile d'avoir pratiqué l'anglais assez souvent avec son père pour être en mesure de lire le sixième tome, sorti l'été dernier en version originale. Et quand mon père regardait les vieux épisodes de *La planète des singes*, je m'installais sur le canapé à ses côtés et j'essayais de me persuader que je vivais un moment père-fille. J'ai même déjà établi ma liste de pouvoirs magiques préférés :

POUVOIRS MAGIQUES	CE QUE J'EN FERAIS
Invisibilité	Disparaître.
	Pas dans le sens de « la vie ne vaut pas la peine d'être vécue », mais plutôt pour être la seule à décider quand le reste du monde m'observe, évalue mon talent ou… me parle.
	P.-S. 1 – Ne nous racontons pas de menteries, j'en profiterais aussi pour zieuter le vestiaire des gars et alimenter mes fantasmes.
	P.-S. 2 – Même si je suis vierge, ça ne veut pas dire que je n'ai pas d'hormones ou que j'ai peur de dire le mot « pénis », tsé.
Lire dans les pensées	Vérifier si mes parents m'aiment pour vrai ou si je me raconte des histoires en imaginant être un enfant non désiré.
Voler	Partir. Loin.
Super vitesse	Donner une leçon à mes frères qui ne me laissent AUCUNE chance, quand on joue au football, au basket ou au baseball, même si le plus vieux mesure vingt centimètres de plus que moi et que le plus jeune se tâte les biceps depuis que la puberté lui a rendu visite.
Changer le passé	Suggérer à mini-Lilie d'être un peu plus prudente en montant sur le toit du cabanon pour vivre son premier vol plané, style Superman, pendant que mini-Émile immortalise sa chute, son bras qui casse et ses grimaces de douleurs sur photo...
	P.-S. 3 – Oui, oui, j'étais cute de même.
Métamorphose	Changer la longueur de mes cheveux selon mes humeurs et faire grossir mes seins-en-manque-de-personnalité.
	P.-S. 4 – Ce n'est parce que je joue au football dans la bouette avec mes frères que je ne suis pas préoccupée par mon apparence…
Lire l'avenir	Confirmer mon acceptation au cégep en musique et mon grand départ de Matane, ma ville natale.

Certains proches m'ont déjà dit que je réfléchissais trop aux superpouvoirs. En réalité, je n'espérais plus vraiment devenir une sorcière/mutante/superhéroïne. Je rêvais seulement de me sentir un peu spéciale…

::

Qu'on se le dise, je ne suis pas mal-aimée sur tous les plans. Il existe au moins quatre personnes dans l'univers qui seraient prêtes à tout pour moi.

Ai-je besoin de préciser que je ne parle pas de mes parents ?

À mon grand regret, je n'ai jamais vécu dans le même monde qu'eux. Le jour de ma naissance, j'ai tout de suite senti que j'étais tombée dans la mauvaise famille. Je pleurais à l'instant où ma mère ou mon père me prenait dans ses bras. Maman raconte souvent que je ne tolérais pas son lait et que le parfum boisé de papa provoquait chez moi des réactions allergiques. Au contraire, je pense que la maladresse de mon père me faisait craindre le pire et que j'avais inconsciemment autorisé un compromis afin de me nourrir : j'acceptais de me retrouver dans les bras de ma mère uniquement quand venait le temps de boire… au biberon. Dès que j'avais fini ma ration de lait, je hurlais en espérant qu'on me remette dans ma couchette ou sur le sol. Quatorze ans plus tard, je me demande parfois si la gestion de mes premières crises a transformé nos vies. Mes parents sont-ils responsables de la distance entre nous ? Ont-ils simplement suivi leur instinct dans le but d'acheter la paix (mon calme) ?

Puisqu'ils n'avaient aucun talent pour exprimer leur affection et m'aider à construire mon estime de moi (non, je n'exagère pas), j'ai cherché ce qui me manquait hors de la cellule familiale. Depuis bientôt cinq ans, j'ai dans ma vie le meilleur professeur de flûte traversière au monde! Monsieur Forest ne se contente pas d'écouter comment je joue ou ce que je dis. Il observe mon non-verbal. Il capte les nuances de ma voix. Il analyse mon énergie afin de sentir comment je vais, malgré tous les détours que je prends parfois pour le cacher ou éviter d'en parler.

Mon prof n'est pas comme les autres. D'abord, son niveau technique est incomparable en région. Il a joué de la flûte dans de grands orchestres à Vienne et à Berlin pendant vingt-cinq ans, avant de revenir en Gaspésie avec sa femme pour enseigner. Puis, il possède un don lui permettant de repérer les tensions physiques qui nuisent à mon jeu, de sentir une grippe sur le point de se déclarer et d'accueillir qui je suis, sans jugement. Comme s'il avait déjà entendu toutes les réactions, toutes les défaites, toutes les frustrations et tous les doutes, mais que rien ne le choquait. Son attitude se situe toujours à mi-chemin entre la sagesse et la compréhension. À l'inverse de certaines vieilles personnes qui croient qu'on doit suivre leurs conseils simplement parce qu'elles ont vécu plus longtemps que les autres (sentir ici mon jugement), il a assez de vécu pour savoir comment mettre en confiance et quand saupoudrer son grain de sel:

— Petite Lilie, vous savez que c'est illégal de douter d'un talent comme le vôtre? m'avait-il dit un jour où je me plaignais d'avoir manqué UNE mesure dans une partition complexe. Votre technique est supérieure à celle de quatre-vingt-dix-neuf pour cent des flûtistes de votre âge, mais ce n'est pas le plus important. Vous faites partie des rares musiciens capables d'insuffler un supplément d'âme à ce qu'ils interprètent. Vous ne vous contentez pas de jouer la partition comme un petit soldat qui aurait remplacé son fusil par un instrument.

Respectueux des traditions, monsieur Forest tenait à me vouvoyer, mais il lui arrivait de condenser son affection dans un surnom mignon comme tout. Ses compliments étaient cependant des exceptions. Durant notre première leçon, il m'avait expliqué que je devais me détacher des belles paroles, sinon je risquais de me laisser définir par le regard des autres et d'être anéantie lorsque les critiques se rendraient à mes oreilles.

— Pour l'instant, j'entends le meilleur de vous uniquement quand votre désir de performance fait une sieste et lorsque vous étouffez votre jugement. Je vous le répète, plus vous vous concentrerez sur les résultats, moins vous goûterez à cet état de grâce.

Le jour où monsieur Forest m'avait entendue au spectacle de Noël de ma petite école de musique, il avait convaincu mes parents de m'inscrire au Conservatoire, en leur promettant qu'ils n'auraient pas à faire l'aller-retour Matane-Rimouski trois fois par semaine, puisqu'il allait m'enseigner chez lui, à quelques minutes de la maison. À partir de ce moment, j'ai compris que mon talent pourrait peut-être un jour me sortir de ma région et de ma famille. Et j'ai choisi d'investir presque tout mon temps libre pour devenir la meilleure flûtiste possible. C'est-à-dire me convaincre que je suis autre chose qu'une fille ordinaire.

: :

Ironiquement, même si je me trouvais banale, j'avais souvent l'impression d'être incomprise par la majorité des gens. Par exemple, quand les membres de mon entourage apprennent que la musique occupe environ vingt heures de mon horaire chaque semaine, leurs réactions alternent entre une admiration pleine d'incompréhension et... des doutes sur ma santé mentale. Pourtant, à mes yeux, il n'y a rien de plus normal! En plus de suivre mes cours, je pratiquais chaque midi à la polyvalente, quelques matins, les soirs de semaine et le samedi. Je me reposais le dimanche et, dès que j'en avais l'occasion, j'essayais d'aller voir ma plus belle distraction: Émile Leclair. Il est assurément l'une des trois autres personnes qui me soutiennent et qui pensent que je ne suis pas comme tout le monde.

Ça prend une perle rare pour en reconnaître une autre, dirait le papa de mon meilleur ami.

Cinq jours après l'arrivée de ma famille sur le chemin de la Grève, neuf ans plus tôt, nous nous sommes trouvés. Quelque chose d'intangible nous reliait, comme si quelqu'un avait joué avec nos destinées pour qu'elles s'entremêlent. Peu à peu, nous sommes devenus inséparables. On volait les Lego de mes frères pour les enterrer dans le sable (mes parents ont mis deux ans pour trouver notre cachette géante: la plage), on se mettait au défi de retenir notre souffle le plus longtemps sous l'eau en faisant les pires grimaces de l'histoire pour déconcentrer l'autre et on participait à des courses de vélo qui aboutissaient presque toujours dans un secteur légèrement dangereux... Assez pour qu'on doive inventer des anecdotes vraiment bizarres pour justifier nos écorchures. À huit ans, Émile a même imaginé une histoire de «podophile» qui nous pourchassait, afin d'expliquer un accident durant lequel je m'étais cassé le bras. Convaincu par le talent dramatique de mon meilleur ami, mon père avait exprimé ses instincts paternels comme rarement auparavant. Il était prêt à bondir sur toute personne un peu étrange et il avait convaincu les parents d'Émile de signaler l'incident à la police.

Dans le temps, je ne doutais pas encore sérieusement de l'amour de mes parents envers moi...

En apprenant les «faits», Paul Leclair avait tout de suite réalisé que son fiston mentait, mais il ne l'a jamais dénoncé devant mon père. La relation qui unissait les Leclair ne ressemblait à rien que je connaissais. Le père et le fils étaient faits du même bois. Ils se comprenaient sans se parler. Et jamais Paul n'aurait trahi la chair de sa chair pour calmer un homme avec qui il n'avait rien en commun, sauf un respect de base. Aussi étrange que cela puisse paraître, il a accompagné Émile et mon père au poste, afin d'éviter que son fils se retrouve en mauvaise posture. Les policiers n'ont jamais retrouvé le pédophile qui n'existait pas et ils ont fermé le dossier.

Je l'affirme désormais sans gêne: je suis affreusement jalouse de leur lien.

Qu'à cela ne tienne, je jouissais moi aussi d'une relation privilégiée avec Émile. Je répétais à qui voulait l'entendre que nous formions l'équivalent de l'émission *Dawson's Creek* dans la vraie vie, à peu de choses près.

— Arrête de dire ça! s'était exclamé mon meilleur ami la dernière fois que je nous avais comparés aux personnages de ma télésérie préférée. C'est tellement pas avantageux pour moi!

— Ben là, Dawson est un grand blondinet avec des parents beaucoup trop cool, pis Joey est une petite farouche qui fait tout pour se démerder, en vivant avec sa sœur, c'est-à-dire pas de parents, ce qui est presque mon cas…

Émile me dévisageait.

— Peut-être… mais le monde va me comparer à lui. Il a zéro confiance en lui et il est genre le puceau le plus connu du monde !

Je le fixais avec un regard amusé. À quinze ans, Émile n'avait pas plus d'expérience sexuelle que Dawson Leery et, même s'il avait beaucoup de caractère, il avait comme moi tendance à douter de lui. Malgré ses protestations, mon meilleur ami savait à quel point Joey était un modèle pour moi. Si je n'avais pas déjà choisi de garder mes cheveux courts pour éviter que mes frères les coupent dans mon sommeil (chose qu'ils ont déjà osée quand j'avais cinq ans !), j'aurais fait allonger ma tignasse pour ressembler davantage à son interprète, Katie Holmes. Sa Joey était une fille forte, déterminée, sensible et mystérieuse comme j'aimais me décrire. Elle vivait elle aussi en bord de mer à Capeside, au Massachusetts. J'adorais l'imiter en accédant à la chambre de mon ami grâce à une échelle collée au mur extérieur de la maison. Une habitude que j'avais instaurée il y a trois ans en voyant le premier épisode à VRAK.TV.

J'avais fait ma cute auprès de Paul pour qu'il en installe une.

Bref, les liens entre mon émission favorite et notre quotidien étaient nombreux. Surtout si on faisait abstraction de l'attirance entre le blondinet et la brunette…

— En plus, c'est écrit dans le ciel qu'on ne finira jamais par frencher comme eux! lança Émile comme s'il lisait dans ma tête. Ce serait tellement *weird*! Ça se classerait dans le top cinq des plus gros malaises de ma vie!

Je n'étais absolument pas offusquée qu'il place un improbable baiser entre nous dans sa liste. Nous étions amis depuis trop longtemps pour prendre cette direction.

— C'est quoi ton pire moment? La fois où t'as essayé de lancer une balle de baseball à un de tes coéquipiers et qu'elle a fini dans les gosses de monsieur Hamelin?

Je rigolais devant son visage stupéfait.

— Ahhh, rappelle-moi pas ça! supplia Émile. Je me suis tellement excusé quand c'est arrivé qu'il m'a fait promettre de ne plus jamais lui en reparler.

— Alors, c'est quoi?

Émile semblait revoir la scène dans sa tête:

— Durant les cours de natation l'an dernier, quand on pratiquait les plongeons du bord de la piscine… Mon cerveau n'a jamais compris c't'affaire-là! J'avais l'air d'une orque de Marineland qui manque une pirouette et qui ne se rappelle plus comment nager. Je pense que j'ai encore des rougeurs sur la poitrine!

Depuis déjà neuf ans, nous nous racontions presque tout: les pires humiliations, les rêves les plus improbables, les craintes les moins sensées, les petites frustrations, les joies que personne d'autre ne comprenait et une quantité folle de commentaires peu gracieux sur le reste de la race humaine.

Il n'était pas rare que nos collègues de classe se souhaitent une relation fusionnelle comme la nôtre. En contrepartie, nos enseignants ne savaient plus comment mettre à distance nos regards codés et faire taire nos éclats de rire dans les moments peu opportuns. Nous étions un modèle de complicité inébranlable.

Même si nous avions un ou deux secrets l'un envers l'autre...

En vieillissant, je sentais le besoin d'être discrète sur certaines choses, à commencer par mon mal-être en Gaspésie. La troisième secondaire venait de débuter, et je ne voyais pas pourquoi on devrait aborder maintenant un sujet qui pouvait attendre encore deux ans. De toute façon, mon ami n'était pas moins coupable que moi. Au cours des dernières années, j'en étais venue à croire qu'il me cachait quelque chose. Comme si une nouvelle facette de sa personne était apparue, sans qu'il veuille en parler.

Je finirai bien par lire à travers lui, comme je le fais depuis toujours...

Je ne me contentais pas de finir ses phrases, de prévoir ce qu'il pensait des autres ou de trouver des réponses à ses tourments. J'arrivais à sentir les émotions qui le traversaient comme si c'était moi qu'elles chaviraient.

Pas surprenant que je me sente aussi à l'aise avec monsieur Forest, l'expert en la matière.

Quelques mois après avoir commencé mes cours, j'avais compris que mon professeur avait été placé sur ma route pour me transmettre son savoir en musique et m'aider à apprivoiser ce qu'il appelait la « sur empathie ».

— C'est une sensation encore plus puissante que la compassion, m'avait-il un jour expliqué. C'est une écoute si fine des autres et de leur énergie qu'on arrive à sentir ce qui les habite.

— Pourquoi ça m'arrive seulement avec Émile? avais-je demandé.

— Peut-être qu'il y a quelque chose entre vous qu'on ne peut pas voir ni nommer, mais qui est plus fort qu'une simple amitié.

— On n'est pas amoureux…, avais-je répliqué presque à regret.

Il avait hoché la tête pour me signifier qu'il savait déjà tout cela.

— Avec le temps, ça se peut que vous appreniez à ressentir d'autres personnes aussi intensément. Ou il sera le seul…

— C'est super étrange quand ça se passe. Des fois, j'ai envie de pleurer, parce que j'ai trop d'émotions à gérer.

— Ça prend des années pour ne plus être submergé par toutes ces informations, mais plus vous y goûterez, moins vous pourrez vous en passer. Vous êtes privilégiée d'avoir accès à une dimension de l'être humain que la majorité des gens ignorent.

Je buvais ses paroles comme Luke Skywalker s'abreuvait au savoir de Yoda dans *Star Wars*. J'étais soulagée de trouver un début d'explications aux tempêtes intérieures qui me faisaient trop souvent perdre pied.

algré mes efforts pour entretenir mon Yoda intérieur,
mes humeurs du jour étaient tout sauf un exemple de
sagesse. Ma répétition matinale m'avait mise en furie et mon
manque d'attention en classe m'avait valu deux avertissements.
En fin d'après-midi, je me suis rendue chez monsieur Forest
en perdant toute trace de lucidité et de calme en chemin. J'ai
ouvert la porte sans cogner et je me suis exclamée :

— Avez-vous inventé une machine à avancer le temps depuis
qu'on s'est vus ? Il me semble que ce serait pratique ! Je pourrais enfin me débarrasser de l'école !

J'ai vu sa femme apparaître. Si j'avais pu, je me serais cachée
dans le mur. Madame Forest et moi nous étions croisées fré-
quemment – son mari l'avait tout de même consultée avant
de m'offrir des cours chez eux –, mais elle ne se montrait
presque jamais. Mon professeur me consacrait toute son
attention, du moment où j'arrivais (en faisant un peu trop
comme chez moi) jusqu'à mon départ, le cœur et l'esprit
plus légers.

— Hervé va avoir un peu de retard, dit-elle doucement. Il a appelé pour m'avertir qu'il y avait de la construction sur la route, à la sortie de Rimouski. Veux-tu boire quelque chose en attendant?

— Non merci, répondis-je en rougissant. Désolée de vous avoir dérangée…

Elle a balayé mes excuses du revers de la main en m'invitant dans la cuisine.

— Est-ce que je peux te demander pourquoi tu veux arrêter l'école?

Soudain, le fait de voir un adulte attendre ma réponse rendait ma déclaration beaucoup moins pertinente.

— Je ne veux pas vraiment arrêter… Je sais que j'ai besoin de mon diplôme pour aller au cégep et pour ne pas finir ma vie à placer des Cheetos dans un dépanneur. Sauf que c'est tellement futile, l'école, des fois! En maths, je me retiens au moins six fois par cours de demander à quoi ça me sert d'apprendre ces affaires-là. Et dans nos cours d'éducation physique, le prof sépare les gars et les filles, pis je suis prise pour jouer avec plein de fifilles qui ont peur de transpirer ou de ruiner leur maquillage. Ça me fait capoter!

À l'image de mon prof de flûte, madame Forest semblait incapable de jugement.

— Ça nous est tous arrivé de penser qu'on perdait notre temps à l'école. Il faut que tu trouves la motivation de te rendre jusqu'au bout.

— Ce n'est pas tant la poly, le problème. J'aimerais surtout répéter plus souvent. Je sais que je veux faire une carrière de musicienne. Alors, pourquoi je me concentrerais sur autre chose?

Elle a hésité avant d'oser une avenue:

— Quelqu'un de pragmatique te dirait que c'est bien d'avoir un plan B, parce que les professions artistiques sont rarement pavées de réussites et qu'elles sont très instables. Mais je suis mariée à un merveilleux exemple du contraire et je pense qu'il te dirait qu'on ne devient pas un bon musicien juste en répétant. Il faut prendre le temps de vivre, de voyager, de tomber en amour et d'apprendre sur les bancs d'école. Plus tu vas vivre d'expériences, plus ça va s'entendre.

Interloquée par sa réflexion, je constatais à quel point elle était bien assortie à mon professeur.

— Je comprends ce que vous dites, mais il me semble que je serais mille fois meilleure si je pouvais répéter plus. Et ces temps-ci, je me bats avec le maudit concerto de Strauss que votre mari m'a demandé d'apprendre.

Monsieur Forest est arrivé dans la cuisine, sans que nous l'ayons entendu entrer dans la maison.

— Qu'est-ce que vous avez contre Strauss, Petite Lilie?

— Rien..., dis-je avec un soupir. J'aimerais seulement passer plus de temps avec lui.

— Alors, venez avec moi et on va voir ce qu'on peut faire.

Après soixante minutes à appliquer ses conseils pour me détendre, à prévoir ses recommandations pour éviter de le décevoir, à manquer une fois de trop le passage sur lequel j'avais buté toute la fin de semaine, à étouffer l'envie de me plaindre comme un bébé, à recommencer avec l'impression d'avoir gâché tout le laisser-aller dont je faisais preuve au début du cours, à me planter encore, à sentir mes doigts se coincer et à rager contre les larmes qui narguaient mes iris, j'ai senti mon souffle se raccourcir, mes jambes ramollir et mes mains chercher le tabouret. J'ai tout de suite placé ma tête entre mes jambes. C'était la seule position qui m'aidait à reprendre le contrôle de mes pensées, celles qui dérivaient vers des zones de mon esprit que j'essayais d'éviter.

Un territoire que je ne voulais pas visiter avec Émile ni avec qui que ce soit.

La perspective de n'avoir aucun moyen de m'extirper de mon milieu provoquait chez moi des crises de panique. Ma respiration se coupait, ma tête tournait et ma mémoire jouait en boucle les paroles d'une chanson de Radiohead : «But I'm a creep / I'm a weirdo / What the hell am I doing here? / I don't belong here.»

— Ça va aller, chuchota monsieur Forest.

Lorsque j'ai relevé la tête, il a placé une de ses mains au-dessus de ma poitrine, afin de rappeler à mon corps le chemin normal de la respiration, et l'autre sur ma nuque, pour diriger mon attention hors de mon petit chaos cérébral.

Je n'osais pas croiser son regard, de peur qu'il trouve dans mes yeux la confirmation que je ne méritais pas son attention.

Pourtant, jamais mon professeur ne perdait ses moyens lorsque je paniquais. Quelquefois, j'espérais qu'il ait déjà affronté de telles périodes d'agitation lui aussi, question de me sentir plus proche de lui, moins inadéquate et suffisamment « rescapable » pour déployer mon potentiel comme il l'avait fait.

— Je sais que vous m'avez toujours mise en garde contre les compliments, soufflai-je en reprenant la maîtrise de ma personne, mais aujourd'hui, j'ai besoin que vous me disiez si j'ai un avenir en musique…

Prenant d'abord le temps de sentir si j'allais mieux, monsieur Forest a dessiné un sourire sur son visage.

— Je ne vous dirai pas exactement ce que vous voulez entendre, Petite Lilie. Mais je pense que vous allez trouver une réponse à vos inquiétudes sur mon bureau.

Curieuse, je me suis tournée vers le vieux meuble de bois sur lequel traînaient des partitions et un document que je n'avais jamais vu : une fiche d'inscription à un concours pancanadien, qui aurait lieu à Vancouver en décembre. Au terme d'une semaine de camp préparatoire et d'auditions menées par les plus grands noms du classique au pays, trois jeunes verraient leur excellence soulignée par des bourses de dix mille dollars et des invitations au prestigieux stage estival de musique de Vienne, en Autriche, en juillet.

Oh. Mon. Dieu.

J'hésitais entre crier ma joie et me rouler en boule, à l'abri des complexes qui s'abattaient sur moi.

— Avant que vous disiez quoi que ce soit, reprit monsieur Forest, je dois vous demander une chose : est-ce que vous me faites confiance ?

J'ai hoché la tête de haut en bas, incapable de prononcer un mot.

— Je vous entends déjà me dire que vous n'êtes pas prête, que la pièce que je vais suggérer est trop difficile et que les autres sont probablement meilleurs que vous, mais j'ai besoin qu'on signe un pacte tous les deux. Je suis prêt à vous offrir une leçon de plus par semaine. Je vais vous pousser comme jamais auparavant et on va essayer de faire taire la petite voix qui ne se trouve jamais assez bonne. Parce que…

Monsieur Forest a ramené vers lui le menton que je dirigeais vers le bas.

— Parce que je sais ce que vous valez, ajouta-t-il. Je sais à quoi ressemble la compétition au pays. Je sais tout le travail que vous devrez investir pour y arriver. Vous aurez mal. Physiquement. Mentalement. Émotivement. Mais je n'ai aucun doute sur vos capacités. M'entendez-vous ?

Accrochée à ses mots comme un alpiniste le serait à son pic en pleine avalanche, j'essayais de taire mes angoisses. Mais rien n'avait d'effet sur la peur très rationnelle qui grandissait en moi :

— Comment je vais faire pour convaincre mes parents ?

Ma mère et mon père refusaient de débourser davantage que ce que coûtait autrefois le cours hebdomadaire qu'ils payaient à l'école municipale. Sans les bourses que j'avais accumulées en remportant des compétitions au cours des dernières années, jamais je n'aurais pu payer le Conservatoire et profiter des services de monsieur Forest chaque semaine. Je doutais qu'ils paient mon billet d'avion et mes dépenses.

— Il va falloir leur expliquer que le concours pourrait vous ouvrir des portes, répondit mon professeur très au fait de ma situation familiale, et que je suis prêt à vous offrir la leçon supplémentaire de façon bénévole. J'en ai parlé avec ma femme, elle est d'accord.

Mes yeux se sont embués. J'étais dépassée par sa confiance et touchée par ce qu'il m'offrait. Si un homme pour qui j'étais une inconnue il y a quelques années envisageait de me donner une part de lui afin que je réalise mes rêves, je n'avais pas le droit de refuser sa proposition. Je devais mettre mon anxiété sur pause, puiser dans ma réserve à détermination et trouver les mots pour convaincre mes parents que leur fille méritait un coup de pouce.

: :

Je marchais vers la maison en cherchant des arguments pour convaincre mon père, Ghislain, cinquante et un ans, fils aîné d'une famille de sept enfants élevés dans une ferme de Sainte-Félicité, à quinze minutes de Matane. Il avait quitté l'école quatre mois avant la fin du secondaire pour reprendre le garage de mécanique de son oncle atteint d'un cancer. Mon père faisait partie de ces hommes prêts à sacrifier leur éducation et leur avenir pour le bien de leur famille, même élargie. Pour lui, il était plus important de combler les besoins primaires de sa marmaille (un toit, de la nourriture et des vêtements) que de leur offrir un modèle d'épanouissement. Travailleur à temps plein dès seize ans, papa n'avait pas tardé à suivre le chemin tracé pour lui par la société : un mariage avec Suzanne Labonté quelques semaines après avoir atteint la majorité, un voyage de noces à Niagara Falls et un premier enfant né neuf mois plus tard. Tout cela, même si leurs finances s'étaient diluées en grande partie dans les chutes les plus connues d'Amérique.

Enceinte avant d'obtenir un diplôme d'études postsecondaires, maman était l'exemple parfait des femmes à cheval sur deux époques. Née en 1954 et encouragée par sa mère à ne pas taire son intelligence, elle avait franchi chaque étape de son parcours scolaire avec distinction. Au terme d'une première session au cégep de Rivière-du-Loup, mon père était arrivé dans sa vie. Six mois et un mariage plus tard, mon grand frère Jonathan s'était annoncé. Mon père avait alors convaincu ma mère de rester à la maison, durant les premières années de ses enfants. Comme elle avait accouché de trois bébés en six ans, ma mère avait traversé la vingtaine sans diplôme ni expérience de travail.

Avec le temps, elle avait transformé des compétences comme l'impatience et la froideur en de véritables spécialités. Reconnue pour son intellect durant ses années d'école, maman avait vu ses ambitions professionnelles être freinées par sa famille. Mais au lieu de verbaliser ses frustrations, elle s'était investie d'une nouvelle mission : devenir la femme d'intérieur la plus performante en ville. La dévotion dont elle faisait preuve pour cuisiner et maintenir la maison en ordre, malgré trois enfants en bas âge, était excessive. Cependant, rien ne semblait ralentir la Reine Suzanne. Plus je vieillissais, plus je prenais conscience de ses manies. Et je me faisais un devoir de ne pas lui ressembler.

Sans toujours réussir...

Il y a quelques mois, Maude, la maman d'Émile, m'avait interrogée sur mon horaire chargé, inquiète de me voir un peu moins qu'avant. Comme elle ne se gênait jamais pour me confier le fond de sa pensée, elle m'avait fait remarquer que j'avais plus en commun avec ma mère que je le croyais :

— La pomme n'est pas tombée loin de l'arbre, ma chérie..., avait-elle dit. Toutes les deux, à votre façon, vous avez besoin de performer. Vous vous investissez corps et âme dans ce que vous faites et vous êtes parfois inconscientes des conséquences.

En effet, maman était incapable de se détendre et elle ignorait l'influence de son attitude sur ses enfants.

— C'est quoi les conséquences pour moi ? demandai-je.

— La fatigue qui t'habite de plus en plus, répondit Maude. Le stress aussi. Mais ce n'est pas un reproche. Je pense seulement que tu dois prendre conscience de ce que ça peut provoquer...

Des crises de panique, par exemple.

— Mais toi, pourquoi tu n'es pas comme ma mère ? Tu restes à la maison aussi.

Elle a pris le temps de trouver des mots délicats :

— Parce que personne ne m'a imposé cette vie-là... J'avais choisi de rester à la maison jusqu'aux cinq ans d'Émile. Quand Paul s'est mis à sortir de la ville et du pays pour le travail, j'ai pensé que c'était mieux pour tout le monde que je ne retourne pas sur le marché du travail. J'ai toujours été heureuse comme ça.

Sa lucidité m'ouvrait les yeux, non sans regret, sur un autre parallèle entre maman et moi. Après avoir donné raison à mon père sur la place d'une mère de jeunes enfants (sans s'obstiner ou à contrecœur, je ne le savais pas), maman avait identifié tout ce qu'elle pouvait contrôler : la tenue de maison, les repas, l'éducation des enfants et nos activités. Inconsciemment ou non, elle se vengeait de ceux qui avaient barbouillé ses plans. Elle inventait des règles, intensifiait ses exigences et restreignait la légèreté dans la maisonnée. De mon côté, je n'étais pas une maniaque du ménage, je ne brimais le bonheur de personne dans mon entourage et je ne calculais jamais le nombre de paroles gentilles que j'exprimais pour éviter de dépasser mon quota mensuel, mais en tant que dauphine de la reine du foyer, je m'étais transformée en princesse du contrôle dès qu'il était question de la musique.

La honte.

Malheureusement, le seul moyen que je connaissais pour devenir bonne était de répéter sans arrêt. J'ai donc reporté la gestion de mes envies de performance et je me suis concentrée sur mon inquiétude principale : le financement de mon voyage à Vancouver.

Malheureusement, mes parents n'étaient pas riches. Le garage de mon père avait maintenu notre famille dans la classe moyenne et les sous que ma mère rapportait depuis cinq ans en faisant des ménages chez les rares familles fortunées de Matane avaient permis de relâcher la pression.

N'empêche, la moitié de la garde-robe de mon frère Jérémie était constituée des vieux vêtements de Jonathan. Nous étions limités à une activité sportive ou artistique par année chacun. Et nos parents nous auraient probablement forcés à travailler dès l'âge de huit ans si ç'avait été légal.

Sur le chemin entre la maison de monsieur Forest et la nôtre, j'ai envisagé de leur emprunter l'argent. Mais quelques pas plus loin, j'ai réalisé que mes parents n'attendraient jamais plus d'un an avant de retrouver leurs sous. Ils envisageraient probablement de me vendre sur le marché noir pour se rembourser.

Je déconne...

Pas du tout convaincue qu'ils étaient prêts à m'aider, j'ai choisi de repousser ma déception et d'aller voir la famille que j'aurais aimé avoir.

: :

La tension qui me tordait le cœur s'est atténuée à la seconde où j'ai vu un bout de foulard pendre à la fenêtre de mon meilleur ami. Chaque fois qu'Émile utilisait ce symbole, connu de nous seuls, j'avais l'obligation de passer par la porte comme le commun des mortels. Sa menace était claire :

— Si tu oses monter par l'échelle en voyant ça, je crie, je pleure et je lance plein de fausses rumeurs à l'école !

Franchement divertie, mais consciente du sérieux de la situation, j'avais accepté sa demande. Mon ami avait imaginé ce code après l'un des moments les plus bizarres de notre amitié : le jour où j'étais montée par l'échelle et que j'avais essayé d'ouvrir sa fenêtre, pendant qu'il... se touchait! Couché dans son lit, avec un magazine dans la main gauche, Émile occupait la droite avec un va-et-vient qui laissait peu de place à l'imagination. Surprise, j'ai poussé un léger cri et j'ai glissé sur le bardeau de la toiture pendant une fraction de seconde. Rien pour me faire mal, mais assez bruyamment pour qu'il plante son regard affolé dans le mien et qu'il lance sa revue à bout de bras, après avoir camouflé sa nudité sous les draps. Si Émile ne classait pas cette anecdote parmi les moments les plus gênants de sa vie, c'est parce qu'il m'avait ordonné de faire comme si rien n'était arrivé.

Son aisance avec le ridicule avait atteint sa limite.

Nous nous étions pourtant vus peu vêtus à de nombreuses reprises : baignades en mer, paresse de plage en maillots et d'innombrables nuits dans son lit (sa chambre était deve-nue le quartier général de nos partys pyjama, le jour où mes frères avaient décidé de nous mener la vie dure quand nous dormions chez moi, parce qu'ils étaient incapables de croire qu'un garçon et une fille pouvaient partager un matelas sans se pratiquer à faire des bébés...). Contrairement à plusieurs enfants, Émile et moi n'avions jamais «joué aux médecins» pour découvrir à quoi ressemblait le corps du sexe opposé. Mon ami ne semblait pas curieux de ce qui se cachait sous mes culottes.

La seule fois où Émile a touché mes seins, c'était probable-ment par accident...

Quand il avait suggéré le code du foulard, j'avais négocié un arrangement: je pourrais monter dans sa chambre par la fenêtre aussi souvent que je le voulais, de jour comme de nuit, même en son absence… sauf lorsqu'un bout de tissu dépasserait par la fenêtre. Émile assumait que je sois au courant de ses séances de plaisir solitaire lorsque le hasard me faisait passer par là, et j'acceptais de ne jamais lui en parler ouvertement. Évidemment, notre entente m'empêchait de vérifier s'il utilisait aussi notre code lorsqu'il avait besoin de s'isoler ou si ses hormones d'adolescent nécessitaient vraiment son attention quatre fois par jour! N'ayant pas encore trouvé un quelconque intérêt à me masturber, je nageais en plein inconnu.

Peu importe, je préférais vivre dans l'ignorance plutôt que d'être privée de mon ami et de ses conseils. J'avais plus que jamais besoin de son ingéniosité pour convaincre mes parents, alors j'ai utilisé la porte d'entrée.

— Allôôôôô! m'exclamai-je immédiatement happée par la frénésie de la maisonnée.

— Saluuuuut! répondit Émile.

Il était dans la salle à manger, sa mère s'activait derrière les fourneaux et son père nous a aussitôt rejoints.

— Allô ma chouette, dit Paul en me donnant un bec sur le dessus de la tête.

J'ai ensuite offert un long câlin à mon ami en chuchotant:

— T'étais pas censé être dans ta chambre, toi?

Il m'a menacée de ses poings en réponse à mon air taquin.

— Tu manges avec nous, lança Maude sans mettre de point d'interrogation à la fin de sa phrase. Les garçons ont fait un gâteau et ils jasent photo pendant que ça cuit. Tu mettras la table dans quinze minutes, s'il te plaît.

Père et fils scrutaient une photo avec un regard ahuri, comme s'ils observaient quelque chose que personne d'autre ne pouvait voir. Je les croisais ainsi plus d'une fois par semaine, depuis qu'Émile avait demandé à Paul de lui enseigner les bases de sa profession. Jamais je ne cherchais à déchiffrer son nouveau vocabulaire technique, mais j'essayais parfois de comprendre comment ses clichés pouvaient être si différents des miens. Émile avait un don pour savoir quoi photographier, quand et comment, en dépassant le prévisible et le conventionnel. Sûrement grâce à ses instincts et aux heures innombrables qu'il passait à faire de la photo, lire sur le sujet et analyser le travail de son père. Plus mon ami vieillissait, plus ses traits et sa voix ressemblaient à ceux de Paul. Grand, mince, blondinet, une bouche en forme de cœur et un charisme fou, Émile avait aussi hérité de sa mère un nez aquilin, des pommettes joyeuses et d'incroyables yeux bleus. Son visage imberbe et ses cheveux mi-longs le distinguaient également de son paternel, un barbu à la tignasse dorée. Toutefois, ils avaient en commun la même passion, une aisance avec la solitude et un je-ne-sais-quoi de mystérieux.

— Si tu veux manger le meilleur gâteau de ta vie, t'es mieux de venir nous m'aider à mettre la table ! dit Émile avec un ton bon enfant, alors que j'observais pour une millième fois leurs photos de famille exposées sur la cage d'escalier.

Malgré ses allures d'introverti, mon ami avait d'indéniables ressemblances avec la *mamma*, un surnom que sa mère – une Québécoise de souche aussi énergique, franche et généreuse qu'une Italienne – lui avait demandé un jour d'utiliser à la blague et qui était resté un *running gag*.

— À vos ordres, chef ! dis-je en faisant un salut militaire.

Paul libérait la table en m'observant de la tête au pied.

— C'est joli, les petites touches d'orangé de ton chandail, affirma-t-il. Ça fait ressortir le grain de ta peau.

J'ai toujours eu un teint légèrement foncé même en hiver, hérité de mon arrière-grand-mère métisse.

— Si moi je portais ça, j'aurais l'air d'un mort, pis je ferais peur aux enfants ! affirma Émile dont la peau laiteuse supportait mal certaines couleurs.

Maude s'est alors mêlée de la partie :

— Veux-tu qu'on respecte une minute de silence pour te prendre en pitié ? Ou bien qu'on fasse la liste des raisons qui nous rendent fiers de marcher avec toi dans la rue quand le monde se revire pour te trouver beau ?

La *mamma* n'avait pas son pareil pour remettre Émile à sa place avec une charge d'amour.

— Pfff ! Tu penses quand même pas rassurer mon ego en me rappelant que les madames de quarante ans et plus me trouvent *cute* ?

— Qu'est-ce que t'as contre les femmes dans la quarantaine ? répliqua Maude.

— Rien ! formula Émile avec un sourire en coin. Mais chaque fois, ça me rend mal à l'aise d'imaginer leur déception quand je vais leur expliquer qu'elles ne sont pas à la hauteur de la femme de ma vie.

Trop cute.

— Es-tu en train de me dire que ton père ne t'enseigne pas vraiment la photo, mais plutôt ses trucs pour se sortir du pétrin avec des belles paroles? lâcha-t-elle en plaçant sa main devant sa bouche.

— Hey! Qu'est-ce que j'ai fait pour être mêlé à ça? demanda Paul, amusé.

— Tu m'as fait la cour pendant des semaines en m'envoyant des lettres il y a vingt-trois ans, tu as profité de la belle face que tes parents t'ont donnée, tu as joué la carte du jeune photographe énigmatique et, un jour, tu m'as fait un garçon beau comme tout, sans m'avertir qu'il aurait ben de la difficulté à voir tout ce qu'il a de beau et de bon à offrir, comme toi. Ça répond bien à ta question ou tu veux que je continue?

La maison Leclair était aussi réconfortante qu'une couette où l'on se réfugie après avoir joué dehors en hiver et aussi pétillante qu'une flûte de champagne bu en cachette à treize ans. Comparés aux Jutras, Émile et ses parents avaient tout de la famille parfaite, même s'ils avaient eux aussi leurs travers. Maude ne le verbaliserait probablement jamais, mais j'étais certaine que l'extrême proximité qui unissait son fils à son mari la rendait parfois envieuse. Mon meilleur ami respectait abondamment ses parents, qui lui offraient une liberté qu'à peu près tous les adolescents envieraient. Par contre, son tempérament de plus en plus émotif et imprévisible causait des frictions à l'occasion. Spécialement avec Paul qui, malgré la relation privilégiée qui l'unissait à son fils, n'aimait pas devoir faire preuve d'autorité envers lui. Comme si le fait d'imposer des limites à sa progéniture entrait en contradiction avec sa personnalité d'artiste. Après des années à les côtoyer, j'avais appris à saisir les nuances et les imperfections de leurs rapports. Et à les aimer. Beaucoup. Peu importe l'ambiance qui régnait chez eux, je sentais mon être se détendre à la seconde où je franchissais leur porte (ou la fenêtre de la chambre d'Émile). En plus de connaître le mode d'emploi de ma machine à bonheur, ils faisaient partie des rares personnes avec lesquelles j'osais être triste et vulnérable.

Émile, Maude, Paul et monsieur Forest étaient à la fois mes *cheerleaders* et les seuls à qui je faisais assez confiance pour montrer mon visage défait. Mes frères m'avaient toujours trouvée trop émotive pour s'intéresser à mes tourments. Mes parents n'auraient fait qu'empirer les choses. Mes collègues de classe n'étaient que des êtres humains nés la même année que moi, avec qui je passais la majeure partie de ma vie. Non pas que je les regardais de haut, mais je n'avais jamais pris le temps de développer de réelles amitiés avec eux. À la poly, la plupart des gens m'appréciaient parce qu'ils ne connaissaient que ce que je voulais leur montrer : ma légèreté. Magnifique arme de sélection naturelle, ce trait de ma personnalité me permettait d'étourdir quatre-vingt-dix-neuf pour cent de mon entourage et de bloquer l'accès à mon jardin secret. Ce lieu entouré d'une muraille en béton armé où je terrais mes doutes, mes complexes, mes angoisses et mes failles.

Je ne manque pas de sincérité pour autant...

Même si peu de personnes avaient accès à ma fragilité, cela ne signifiait pas que ma bonne humeur était fausse. Au contraire. La discipline de fer que je m'imposais en musique devait absolument être contrebalancée par des plaisirs simples, éclatants et sans complication. Même si j'étais sympathique avec la plupart des élèves, je n'étais proche d'aucun d'entre eux. Ma relation avec Émile comblait tous mes besoins amicaux : amusement, non-jugement et confidence.

Sans oublier la source intarissable d'imagination que j'étais venue solliciter, ce soir, en espérant trouver un moyen pour que mes parents paient mon billet d'avion.

— Émile...

Nous étions montés dans sa chambre peu après le souper, et j'essayais d'attirer son attention, perdue quelque part au fond de sa garde-robe.

— Je suis sûr que je l'ai rangée dans une boîte ou quelque chose..., marmonna-t-il.

— De quoi tu parles ?

J'étais impatiente de lui raconter les détails du concours.

— De ça ! répondit-il triomphant, une feuille de papier à la main. Il y a trois ans, mes parents étaient tannés que je leur demande matin, midi et soir de m'acheter un vrai appareil photo. Alors, ils ont trouvé un moyen pour s'assurer que je sois sérieux...

Je l'observais avec un sourcil relevé.

— Il y a quand même ton violon qui traîne dans le salon matin, midi et soir, même si tu avais promis de répéter...

Émile a roulé les yeux au ciel.

— J'avais sept ans quand j'ai commencé mes cours et je changeais d'idée toutes les trente secondes dans ce temps-là !

J'ai fait « oui » de la tête, en me souvenant de toutes les fois où je l'avais attendu pour jouer dehors et qu'il m'implorait de le rejoindre dans sa chambre, parce qu'il avait perdu l'envie de sortir en laçant ses souliers…

— *Anyway*, reprit-il, je dois avoir eu le pressentiment que ma meilleure amie deviendrait une musicienne prodige et que ça fuckerait mon estime de moi de me comparer… Pis je pense que je me suis épuisé des fausses notes après mon premier cours. Sérieux, ça grinçait tellement que je pleurais de l'intérieur. Je suis sûr que les petits animaux s'éloignaient de la maison quand je jouais.

Jamais à court d'images, Émile prétendait, depuis que je lui avais fait découvrir la série télé *Gilmore Girls,* qu'il était le fils spirituel de Lorelai, la maman incapable de taire toutes les blagues ridicules qui lui passaient par la tête.

— Je pense qu'on a compris : le violon et toi, vous ne vous entendiez pas bien…, dis-je pour l'inciter à poursuivre.

— Bref, quand mes parents m'ont finalement offert un vrai appareil, ils m'ont fait signer un contrat.

Il m'a lu le bout de papier avec un ton officiel :

« Moi, Émile Leclair, onze ans, je m'engage à prendre soin de mon appareil photo, à le nettoyer régulièrement, à le traiter comme de la porcelaine, à m'exercer au moins deux fois par semaine, à ne pas me décourager parce que je ne suis pas bon immédiatement, à faire des erreurs, à poser des questions pour éviter de les reproduire, à croire en moi et à m'amuser aussi souvent que possible. Nous, Paul et Maude Leclair, nous nous engageons à toujours te soutenir dans ton développement, à t'offrir du matériel de qualité et à te prodiguer des conseils, aussi longtemps que tu vivras sous notre toit et que tu voudras te perfectionner. »

— C'est écrit noir sur blanc ! Tant et aussi longtemps que je m'améliore et que je reste dans leur maison, ils doivent m'aider en m'offrant le matériel dont j'ai besoin !

Durant le souper, Émile et ses parents avaient débattu à propos d'un nouvel appareil supposément nécessaire à sa survie. Silencieuse durant leur échange, j'avais maintenant envie de mettre mon grain de sel :

— Ouin, mais je pense pas que votre contrat mentionne qu'ils doivent sortir mille dollars de leurs poches chaque fois que tu veux aller plus loin, coco.

Je savais très bien qu'il allait se rebiffer.

— Tu comprends pas ! répliqua-t-il comme un enfant à qui l'on refuse une deuxième part de gâteau. Je fais aucun progrès depuis un an avec mon vieux !

Il a ensuite défilé les caractéristiques de l'objet de ses rêves, sans que je comprenne vraiment.

— Mile, tes parents t'ont seulement expliqué qu'ils n'avaient pas les moyens de l'acheter maintenant.

— Ils m'ont aussi suggéré de travailler si je voulais du luxe… C'est clair qu'ils manquent de jugement ! J'ai quinze ans depuis seulement deux mois. Et ce n'est pas parce que le gouvernement dit que c'est légal de nous faire travailler à partir de quatorze que c'est une bonne idée.

Malgré l'humour (et la mauvaise foi) dont il faisait preuve, Émile semblait ébranlé.

— Si tu y tiens tant que ça à ta nouvelle machine, tu devrais être prêt à tout pour l'avoir, non ?

Il a répliqué sur-le-champ :

— Non ! Être un artiste, c'est pas ça. Quand on a quelque chose à exprimer, on doit le faire immédiatement, sans contrainte. Se lever en plein milieu de la nuit s'il le faut. Ou lâcher l'activité qu'on est en train de faire. Parce que c'est ça qu'on ressent. Parce que c'est ça qu'il faut !

Ses paroles faisaient résonner des sentiments familiers. La musique avait toujours été pour moi un moyen d'entrer en relation avec des émotions que j'étais incapable de nommer. Parfois en douceur, parfois avec urgence. Comme si j'allais me liquéfier si j'attendais trop longtemps avant de vibrer.

— Je ne peux pas travailler dix heures par semaine au salaire minimum, pendant un an, pour me payer un appareil. J'ai beaucoup trop de choses à apprendre pour gaspiller ma vie avec une job niaiseuse !

Émile verbalisait exactement ce que je ressentais par rapport à la flûte, sauf que son intensité m'effrayait. J'aspirais moi aussi à un tel dévouement artistique, mais comme j'étais consciente des limites de mon environnement, je mettais en laisse mes ambitions pour ne pas frapper le mur de mes désillusions. J'ai donc tenté de tempérer ses convictions :

— Pourtant, l'école et les devoirs ne t'empêchent pas de passer un temps fou à faire de la photo. Qu'est-ce qu'il y aurait de mal à travailler cinq petites heures par semaine, si ça te permettait d'acheter ce que tu veux ? Ça t'obligerait peut-être aussi à mieux profiter du temps qu'il te reste pour la photo et à être plus structuré.

Émile refusait de lâcher le morceau :

— Je ne veux pas être plus structuré, Lilie ! Je n'ai pas envie que mon agenda me donne la permission de m'exercer entre seize et dix-huit heures, parce que je dois souper et travailler ensuite. J'ai besoin de partir à la recherche de ce qui m'inspire, sans regarder ma montre toutes les dix minutes. J'ai envie de me coucher après minuit, parce que je suis trop occupé dans la chambre noire. Je le sens au fond de moi que je ne peux pas être attaché à un horaire. Je dois être libre de perdre mon temps si je veux me surprendre !

J'avais envie de crier : « Moi aussi je veux pouvoir jouer sans m'arrêter ! » Pourtant, quelque chose me disait que je n'y avais pas droit.

— Même toi, reprit Émile, je le sais que ça te fait chier d'aller à l'école tous les jours, au lieu de répéter. On dirait que tu fais semblant de ne pas comprendre…

Et toi, on dirait que tu me connais depuis trop longtemps…

— Non ! répliquai-je en refusant d'admettre l'évidence. Je suis seulement plus lucide que toi. Même si on est en amour avec la musique et la photo, on ne peut pas juste faire un *fuck you* à l'école et au vrai monde !

— Il pue, ton vrai monde…

— Émile, dans même pas trois ans, tu vas étudier au cégep en photo, faire de la photo après l'école et rêver à la photo. Pis après, tu vas être entièrement libre !

Voyant que ma logique ne l'apaisait pas, je me suis aventurée sur son terrain pour le faire cheminer :

— De toute façon, t'as pas déjà dit que c'était le photographe qui prenait de belles images, et pas l'appareil ?

Il me regardait comme un professeur regarde un élève de première année.

— C'est rien d'autre qu'une phrase toute faite pour que monsieur et madame Tout-le-monde comprennent qu'ils ne vont pas devenir meilleurs parce qu'ils s'achètent des bébelles à cinq mille piastres ! Les gens qui se préoccupent vraiment de la beauté apprennent à cadrer, à gérer la lumière et à identifier le moment précis où la photo devient spéciale. Ils ne se contentent pas de prendre mille deux cents clichés qui ne ressemblent à rien pour faire un diaporama qu'ils vont diffuser sur leur grosse télé trop chère.

Fils légitime de la *mamma,* mon ami n'avait pas peur de dire les vraies choses, même s'il manquait parfois de délicatesse. J'enviais sa capacité à croire en son art et à trouver autant d'arguments pour défendre son point.

— Et c'est pas parce que je suis capable de prendre des photos plus intéressantes que la moyenne avec un appareil en plastique acheté chez Jean Coutu que je dois m'en contenter, plaida-t-il. Aucun photographe qui se respecte ne travaille avec un mauvais appareil.

— OK, ton outil de travail est important… Je suis sûre que tes parents ne t'ont pas acheté un mauvais appareil, mais je comprends que tu veuilles franchir une nouvelle étape.

— Et moi, je sais que tu veux juste m'aider…

Émile avait un talent particulier pour monter sur ses grands chevaux, tout en restant un tant soit peu ancré à la réalité.

— Peut-être que tu pourrais demander à tes grands-parents s'ils ont du travail pour toi, proposai-je.

— Ha, ha, ha! répliqua-t-il en détachant chaque syllabe. Ils seraient beaucoup trop contents.

Maurice et Jacqueline Cournouailler, les parents de Maude, étaient les personnes âgées que j'aimais le plus sur terre. Étant donné que mes grands-parents maternels étaient décédés il y a longtemps et que les parents de mon père étaient des êtres aussi froids que leur fils, mon étude comparative avait vite tourné à l'avantage des aïeuls de mon meilleur ami. Chaleureux, rieurs et plus que généreux – ils m'accueillaient à leur table comme si j'étais leur petite-fille – les Cournouailler avaient pourtant un petit défaut: ils refusaient de croire que leur unique petit-fils ne reprendrait jamais leur ferme. Étonnamment, malgré son amour inexistant pour l'activité physique et sa carrure de poulet-qu'on-a-trop-fait-jeûner, Émile n'était pas dénué d'habiletés sur le plancher des vaches. Enfant, mon ami avait appris à traire ces grosses bêtes, à récupérer les œufs, à nettoyer l'écurie et à réparer des clôtures. Cependant, il aidait son grand-père pour passer du temps avec lui, et non parce qu'il avait des ambitions agricoles. Depuis des années, Émile répétait qu'il voulait suivre les traces de Paul.

— Ils imaginent encore qu'on va finir ensemble et qu'on va s'occuper de la ferme ! dis-je en rigolant.

Nos regards se sont croisés, l'air de dire « Ça n'arrivera jamais ! »

— En tout cas…, coupa Émile, raconte-moi donc ce qui se passe avec ta flûte, avant qu'on s'invente une passion pour l'épandage de purin et le temps des foins !

Enfin mon tour !

— Ben, ce n'est pas aujourd'hui que je vais quêter mes parents pour un nouvel instrument !

Lors de mes débuts au Conservatoire, monsieur Forest avait insisté pour que je remplace « la vieille chose qui ne méritait pas le nom de flûte traversière ». À l'époque, j'étais à ce point excitée par l'attention qu'on m'offrait que j'avais innocemment demandé des sous à mes parents pour m'en procurer une autre. Leur réponse m'avait ramenée à la réalité : « Lilie Jutras, si l'argent poussait dans les arbres, on y penserait peut-être, mais on n'est pas rendus là. Et plains-toi pas aux voisins que t'as des mauvais parents. Lorsque tes souliers auront des trous, tu viendras nous voir. En attendant, fais pas ta princesse ! » Sans appel, les paroles de ma mère résonnaient encore dans ma mémoire des années plus tard.

Roi du je-me-moi depuis mon arrivée, mon ami se dédiait désormais à ma petite personne.

— Bon, repris-je avec un ton faussement détaché. En gros, ça se peut que je sois la première de nous deux à prendre l'avion, que je participe à un concours réunissant les meilleurs bébés musiciens au pays, que je fasse partie des trois meilleurs et que je t'achète un gros cadeau avec la bourse donnée aux gagnants, pour que tu penses à moi l'été prochain, quand je vais passer un mois à Vienne pour me perfectionner.

Le visage d'Émile est tombé.

— Ben là ! C'est où ton concours ? C'est quoi mon cadeau ? Pis où est-ce que je signe pour te donner mon accord ?

— C'est ça, le problème, répondis-je la mine basse. L'événement va avoir lieu à Vancouver et le billet d'avion pourrait coûter entre six et huit cents dollars, selon monsieur Forest. Sans compter l'hébergement et la bouffe.

L'enthousiasme de mon interlocuteur ne semblait pas faiblir sous le poids des contraintes :

— Tu ne penses quand même pas qu'El Cheapo et El Cheapette vont refuser de t'aider ?

— J'en suis à peu près certaine, formulai-je en sentant ma lèvre trembler. C'est à peu près mille dollars. Et ma mère est du genre à compter ses cennes noires dans ses temps libres.

J'exagérais à peine.

— OK, mais là, dit Émile, combien de musiciens de ton âge pourraient écrire sur leur CV qu'ils ont gagné un concours national et passé un mois en Autriche ? N'importe qui comprendrait que ça va t'aider à te démarquer pour le reste de ta carrière ! Pis tu vas peut-être devenir riche un jour. Pis partir en tournée et enregistrer des disques. Pis gagner un Félix ou un Grammy pour le meilleur album de musique instrumentale. Pis quand tu vas monter sur la scène, tu remercieras Dieu et tes parents. Sauf s'ils ne t'aident pas. Dans ce cas-là, tu te contenteras de me déclarer ton amour inconditionnel. C'est clairement ça, ton argument. Dis-leur ce qu'ils vont manquer s'ils n'ont aucune vision.

— C'est exactement ça qui m'inquiète : mes parents ne comprennent rien à l'industrie de la musique.

Émile a pris un temps avant de repartir de plus belle :

— Alors… utilise leurs mots pour les convaincre. Fais un plan détaillé de tes dépenses. Dis-leur d'appeler ton prof pour qu'ils réalisent à quel point leur fille est un million de fois plus merveilleuse qu'ils le pensent. Et présente-leur la situation comme un investissement : ils te prêtent l'argent et tu t'engages à leur redonner dix pour cent de plus grâce ta bourse. Comme ça, tout le monde est gagnant. Je suis même prêt à accepter un plus petit cadeau, si ça peut aider.

Ébahie, j'avais l'impression d'avoir trouvé un moyen de séduire l'esprit cartésien de mes parents, grâce à un gars de quinze ans au tempérament profondément artistique, qui aurait préféré ramper dans le désert la bouche ouverte plutôt que de faire des mathématiques pendant une heure.

— Est-ce que j'ai déjà dit que tu étais le meilleur ami du monde, Mile ?

Il a fait semblant de réfléchir avec sa petite face trop pleine de *cutitude*.

— Je suis là pour vous servir, mademoiselle.

— Sérieux, je pensais que tu allais faire ton niaiseux en me suggérant de vendre mon corps pour financer ma carrière ou d'aller à Montréal pour jouer dans le métro.

— Tant d'amour si mal exprimé, répliqua-t-il pendant que je m'avançais pour lui donner un câlin.

Même s'il se montrait parfois trop intéressé par son nombril, même s'il avait la plus grosse tête de cochon que je connaissais et même s'il était la personne la plus impatiente de mon entourage, Émile était l'être le plus précieux dans ma vie. Honnête, direct, indépendant et solitaire, il s'enfermait souvent dans sa bulle pour faire de la photo, lire un bouquin ou être un peu sauvage. Quiconque osait le déranger dans sa quiétude risquait une réaction négative, mais j'avais depuis longtemps appris à ne pas me sentir visée. Je préférais me concentrer sur ses bons côtés : une sensibilité dont il n'avait pas peur, une loyauté indéfectible, un monde imaginaire hors du commun, une mémoire d'éléphant et des réflexions étonnantes.

Ne me restait plus qu'à concrétiser l'une de ses nombreuses idées pour réaliser l'impossible : mettre mes parents de mon bord !

3

Quarante-huit heures plus tard, ma bonbonne à courage n'était toujours pas assez remplie pour que j'approche mes parents. Je cherchais le meilleur moment pour ma grande demande, mais je trouvais toujours de nouvelles raisons de ne pas les aborder. Et je n'avais pratiquement personne pour me convaincre du contraire. Émile était l'un des seuls avec qui j'osais parler de ma famille. Pendant des années, j'avais même évité le sujet devant Paul et Maude. Comme si je craignais que des règles non écrites poussent les parents à se soutenir en toutes situations :

1. Tu ne remettras point en question l'éducation des enfants des autres ;

2. Tu partageras avec tes collègues géniteurs certaines informations privilégiées, même celles obtenues sous le sceau de la confidence ;

3. Tu suggéreras des nuances aux enfants et aux ados qui critiquent durement leurs parents.

Je me souviens encore de la fois où j'expliquais à mon ami les tâches ménagères que ma mère nous imposait. Maude était apparue au milieu du salon, alors que je comparais maman à la « dame de Fer », le surnom donné à l'ancienne première ministre de la Grande-Bretagne, Margaret Thatcher, reconnue pour son caractère et son manque de flexibilité dans les négociations. Ma mère portait cette étiquette depuis un cours d'histoire durant lequel on avait survolé les grands leaders du siècle dernier.

L'école me semblait particulièrement utile, ce jour-là…

Surprise de m'entendre parler ainsi, Maude avait appliqué le troisième volet du contrat interparental :

— Je ne comprends pas pourquoi ça te choque que Suzanne te demande de l'aide, dit-elle. Lorsque tu es ici, tu participes toujours spontanément.

— Parce que ma mère ne veut pas vraiment qu'on s'implique, répondis-je. Quand on fait du ménage, elle nous critique la moitié du temps et elle recommence tout. On dirait qu'elle nous oblige à participer aux corvées juste pour nous rappeler que c'est elle la boss et qu'elle est la seule à savoir comment faire.

— Peut-être que ta mère n'est pas capable de vous montrer la façon qui lui plairait…

— Possible…

Voyant que Maude ne condamnait pas les comportements de ma mère, j'ai limité mes confidences en ne décrivant pas ses fameuses méthodes :

- lavage des planchers tous les trois jours malgré l'absence d'un animal de compagnie (elle serait du genre à le pourchasser avec l'aspirateur jusqu'à ce qu'il n'ait plus de poils) ;

- époussetage quotidien des meubles et de l'intérieur des armoires (fermées, avec des portes, juste pour qu'on se comprenne…) ;

- interdiction de quitter la maison sans avoir fait son lit (je vais m'abstenir de commenter l'inutilité de cette action quotidienne) ;

- crise assurée si on laissait un éclat de dentifrice sur le miroir ou si les hommes de la maison oubliaient de rabaisser le siège de la toilette.

Pire encore, le premier jour de chaque mois, maman prévoyait tous nos repas. Et elle accumulait assez de nourriture non périssable au sous-sol pour que nous soyons la dernière famille survivante en cas d'attaque nucléaire.

Il ne nous manque que le bunker et on est prêts !

Un jour, le papa d'Émile m'avait demandé si ma mère avait été élevée pauvrement. Il imaginait qu'elle avait développé ses réflexes de réserves pour calmer ses vieilles anxiétés. J'ai mené une petite enquête avant de répondre à Paul que son idée ne tenait pas la route et que ma mère avait probablement un trouble obsessionnel. Plus le temps passait, plus les Leclair comprenaient dans quel environnement je vivais. Même si ma famille ne composait avec aucun obstacle majeur (alcoolisme, pauvreté, maladie, violence physique, verbale ou sexuelle), nous formions un groupe d'humains extrêmement mal assortis. Notre complicité était inexistante ; nos projets communs, rares et peu excitants. Le cœur de ma mère se durcissait chaque année, tandis que mon père était certain que son rôle se limitait à combler les besoins de base de la pyramide de Maslow.

Il y a des millions d'enfants qui voudraient d'une « méchante » famille comme la mienne, je sais...

Tout de même, je reconnaissais aussi les éléments positifs. Contrairement à la moyenne des couples québécois, mes parents s'aimaient encore après plus de vingt ans. Même si leurs marques d'affection étaient discrètes, ils me donnaient chaque jour une leçon d'acceptation inconditionnelle : chacun composait avec ce que l'autre avait de plus beau et de plus laid. Ils se complétaient et se respectaient. Si bien que j'ignorais tout du divorce, de la garde partagée et de cette fausse chance d'avoir deux chambres, mais aucun véritable chez-soi. Je vivais dans une jolie maison avec une immense cour arrière où mes frères m'avaient initiée à de nombreux sports. Ma relation avec Jonathan et Jérémie ne remporterait aucun concours de fraternité, mais nos rapports étaient teintés d'une forme de solidarité non avouée.

Nous sommes trois mousquetaires unis contre nos parents dysfonctionnels.

À notre grand désarroi, papa et maman n'ont jamais lu le livre *Comment faire sentir à vos enfants qu'ils ne sont pas des nuisances*. Lorsque nous franchissions le cap des dix ans, leurs gestes de tendresse devenaient des exceptions. Leurs compliments ne faisaient jamais le poids des reproches et nos conversations sonnaient souvent comme de la musique d'ascenseur : banales et répétitives, tournant presque toujours autour de sujets peu propices aux passions et aux confrontations (composition des repas, horaires, météo, voisinage, sport). Mon père vouait un culte aux Canadiens de Montréal. Il regardait chaque partie, ne manquait aucune émission d'analyse (même quand elle concernait la vigueur du rhume d'un joueur de quatrième trio), écoutait les tribunes téléphoniques à la radio et lisait chaque article sur son équipe dans *Le Journal de Québec*. D'ailleurs, je soupçonnais mes frères de feindre un léger intérêt pour le CH afin de mieux paraître aux yeux de notre père. Quant à moi, je n'avais ni l'envie ni le temps de devenir une partisane à temps plein, même si je connaissais le numéro de tous les joueurs et l'évolution de leur saison, à force d'en entendre parler.

On s'entend pour dire que Ghislain Jutras n'est pas responsable de mon amour de la flûte traversière?

J'étais la preuve vivante qu'on pouvait adorer les sports et les arts, mais mes parents ne méritaient aucun remerciement pour la portion créative de ma personne. Quand j'étais enfant, papa m'avait expliqué que ce serait plus simple de m'inscrire aux activités sportives de mes frères pour économiser temps et argent. J'aimais moi aussi jouer au hockey, au baseball, au soccer et au volley-ball de plage avec eux dans mes temps libres, mais je préférais de loin me concentrer sur la musique. À force d'argumenter, j'avais convaincu mon papa-très-traditionnel que c'était plus féminin d'apprendre un instrument (une idée complètement arriérée) et que j'en choisirais un peu bruyant (comme si ça existait…). Peu connaisseurs dans le domaine et épuisés de mes supplications, mes parents m'avaient un jour laissée devant l'école de musique de la ville avec un chèque couvrant la session, en souhaitant probablement que je me lasse très vite. Mais j'avais persisté. Au point de vouloir m'améliorer et d'avoir besoin de répéter au moins deux fois par semaine. À la maison.

Oh, le drame…

À mon premier essai, je m'étais enfermée au sous-sol pour enchaîner les gammes. Jusqu'à ce que papa me fasse part de son appréciation :

— Lilie, tu me déranges, là ! On regarde le hockey.

— Ben… montez le volume un peu. Je ne jouerai pas fort.

— Le son est déjà assez haut de même ! Tu feras tes affaires une autre fois.

La rage au cœur, j'avais rangé la flûte que l'école m'avait prêtée pour deux jours et j'étais allée me plaindre auprès d'Émile. Le lendemain, après l'école, j'avais pris place dans ma chambre pendant que mes frères tapaient sur un ballon dans la cour et que ma mère nettoyait avec intensité… quelque chose de propre. Après seulement dix minutes à m'entendre jouer, Jonathan et Jérémie ont décidé qu'ils auraient encore plus de fun à taper sur ma porte.

— Laissez-moi tranquille ! hurlai-je sans leur ouvrir.

— On veut juste devenir bons nous aussi, dit Jonathan. On pourrait former un groupe : toi à la flûte, moi aux percussions, pis Jérémie ferait de l'*air guitar* en imaginant qu'il sonne bien.

Je les entendais se chamailler derrière ma porte, pendant que les funérailles de ma patience se préparaient.

— Allez donc vous inventer une vie ailleurs !

— Tu ruines notre avenir, Lilie ! répliqua mon aîné. On pourrait devenir les Jackson Five gaspésiens, mais avec moins de monde.

Je n'ai pas pu me retenir de rire.

— T'es con, dis-je en essayant d'être sérieuse. On aurait surtout moins de talent !

— Dis pas ça ! riposta Jonathan alors que Jérémie semblait avoir disparu. Tsé, on a même un père *freak* de l'autorité qui pense seulement à l'argent, comme celui de Michael et des autres. Je suis sûr qu'il nous aiderait s'il voyait tous les profits qui s'annoncent.

Mon frère avait une habileté rare pour être à la fois divertissant et insupportable.

— Et on s'appellerait comment ? demandai-je en entrouvrant la porte.

— Les triplettes de Matane ! lança-t-il spontanément. Nahhh, il faut que ce soit original. Peut-être quelque chose comme Les enfants perdus, pour faire pitié… Ou mieux, The Lost Childs ! On pourrait percer à l'international !

De toute évidence, Jonathan avait besoin lui aussi de libérer sa créativité.

— Et lequel de nous trois va être l'équivalent de Michael ? questionnai-je en grimaçant.

— Qui tu penses ? rétorqua-t-il en soulevant ses sourcils deux fois de suite. T'es tellement talentueuse…

— D'accord… Je te promets qu'on va se lancer, le jour où je vais avoir plus que trois pièces de débutante dans mon répertoire. En attendant, peux-tu s'il te plaît me laisser répéter un peu ? J'aimerais ça faire plus que quatre gammes avant que papa soit là.

— Tout pour la future star de la famille !

La trêve que je venais de négocier n'a malheureusement pas servi. Comme je le craignais, mon père est arrivé vingt minutes après le départ de mon frère. J'avais seulement eu le temps de maîtriser un exercice et d'amorcer une pièce lorsque mon père a frappé à ma porte.

— Lilie, on va manger bientôt. Il va falloir arrêter ça…

— Mais papa, il n'est même pas quatre heures et demie !

— Ta mère a besoin de se concentrer pour préparer le souper…

Wow ! C'est vraiment ça, ton meilleur argument ?

— Elle ne m'a rien dit depuis que j'ai commencé. Je ne vois pas pourquoi j'arrêterais.

— Parce que je te le dis ! De toute façon, je pense que c'est pas une bonne idée, la musique. J'aime pas ça quand tu joues…

Papa 1 / Confiance en moi 0

— T'es pas obligé de m'écouter, osai-je avec l'effronterie de mes onze ans.

— Lilie Jutras ! Je ne veux plus entendre ça dans ma maison. C'est-tu clair ?

C'est ainsi que les rêves de mon frère Jonathan se sont envolés et que mon indulgence à l'égard de mon père est disparue.

Néanmoins, j'étais déterminée à poursuivre l'une des rares choses qui me faisaient vibrer. J'ai donc demandé aux gestionnaires de mon école de musique si je pouvais répéter dans un local vide, quand je n'avais pas de cours. Réponse : négative. J'ai pleuré dans mon oreiller tous les soirs pendant une semaine, jusqu'à ce qu'Émile (encore lui !) me suggère de demander à la directrice de notre école primaire, située… en face de nos maisons. Chose que j'ai faite le lendemain matin. D'abord étonnée par l'attitude de mon père, mais ravie que je m'investisse dans une passion, la dame a accepté sans faire de chichis.

Une étrangère me soutient davantage que mes parents. Yay !

Depuis trois ans, j'ai une clé qui me permet d'aller répéter autant que je le désire à l'école Saint-Victor. Les membres de ma famille n'ont plus jamais entendu ma flûte. Et leur culture musicale classique se limite encore au duo de Céline Dion avec Andrea Bocelli, aux chansons de Noël qui ont des arrangements plus ou moins complexes et à la trame sonore de *Star Wars*.

Je n'ai rien contre Céline, Minuit, chrétiens *ou les compositions de John Williams, mais je rêve secrètement du jour où leurs horizons musicaux vont s'élargir.*

: :

En ce premier vendredi soir de l'automne, le contexte me semblait parfait pour espérer un minimum de soutien des

Jutras. Ma mère venait de calmer son anxiété en faisant l'épicerie. Mon père flottait sur un nuage de bonne humeur depuis la victoire de Montréal contre Boston, la veille. Mes frères se préparaient pour leur dernière rencontre amicale de soccer, avant que le froid les rattrape. Aucune tension n'alourdissait l'air. Ma présentation était prête.

Durant le souper, je contournais les sujets de discorde potentiels comme une championne de course à obstacles, pressée de franchir le fil d'arrivée. Tout se déroulait comme je l'espérais. Jonathan et Jérémie ont quitté la maison après le dessert, sans se douter que leur absence me faciliterait la vie. Selon mes calculs, j'avais exactement quarante minutes avant que débute un match entre Ottawa et Nashville, dont mon père se contrefichait et devant lequel il s'endormirait au milieu de la deuxième période, mais qui justifiait quand même un silence complet dans la maison.

Dans trois, deux, un...

— Maman, papa, est-ce que je peux vous parler quelques minutes ?

— Mon Dieu, Lilie, t'as donc ben l'air nerveuse, s'exclama mon père. Tu vas pas nous annoncer que t'es lesbienne toujours ?

Respire. Reste calme. Son cerveau est encore pris au Moyen-Âge... Fuck ! *Respire.*

— Presque, dis-je niaiseusement pour détendre l'atmosphère.

Mon père s'est étouffé dans sa bière d'avant-match. Ma mère me dévisageait avec un pli gros comme un canyon entre les sourcils.

— Voyons, papa! C'est pas mal moins majeur comme annonce… Ben pas une annonce… Juste… tsé…

— T'es pas claire, ma fille, lança maman.

— Ce que je veux dire…, formulai-je en essayant de reprendre mon élan, c'est que monsieur Forest m'a proposé de participer à un concours.

— OK, pis après? bredouilla mon père.

Mes parents savaient que j'avais participé (et parfois gagné) des événements régionaux et provinciaux, mais ils n'avaient jamais cru bon m'accompagner pour m'encourager.

— C'est une compétition pour les meilleurs musiciens de dix-huit ans et moins au Canada. Si je finis dans le top trois, je pourrais gagner beaucoup d'argent et participer à un stage en Europe, l'été prochain.

Ma mère me toisait en silence, tel un fauve prêt à bondir sur sa proie.

— Le concours est en décembre. Juste avant, les participants sont invités à une semaine d'ateliers avec les meilleurs profs au pays. C'est à Vancouver…

Mon père a croisé les bras.

— Combien? lâcha-t-il en ruinant le scénario que j'avais élaboré.

— Je ne sais pas…, répondis-je par réflexe malgré le plan que j'avais préparé. Il y a le billet d'avion aller-retour, les frais d'inscription… et la bouffe.

Maman était en mode calculs et angoisses :

— Ça n'a aucun sens ! s'exclama-t-elle. On n'a pas cet argent-là !

— Ce n'est pas plus que mille dollars ! ripostai-je en regrettant sur-le-champ le choix de mes mots.

— Ah ben aye ! beugla mon père. T'aurais dû le dire avant. On t'aurait fait un chèque sans regarder !

Son ironie sonnait comme un rêve qu'on chiffonnait.

— Non, c'est pas ce que je voulais dire… Ce concours-là est super important pour moi !

— Il va falloir que tu t'habitues, marmonna ma mère. Dans la vie, on ne fait pas toujours ce qu'on…

— Ça n'a rien à voir ! dis-je en l'empêchant de finir sa phrase prévisible qui en disait plus sur elle que sur la vie…

— Lilie, reste polie ! décocha mon père.

J'avais l'impression d'être sur un ring face à deux boxeurs poids lourds qui me coinçaient dans les câbles.

— Écoutez-moi, implorai-je en sentant des larmes valser devant mes yeux. J'ai trouvé une solution qui serait intéressante pour vous aussi.

— Je ne vois pas comment…, martela papa.

— Si vous me prêtez les sous, je vais tout vous remettre avec dix pour cent d'intérêt dès que je vais avoir la bourse. Vous pourriez voir ça comme un investissement.

Ma mère a quitté la pièce en soupirant, pendant que mon père enfonçait de nouveaux clous dans mon cercueil :

— J'ai toujours dit à Suzanne que tu allais devenir aussi brillante qu'elle, mais je pense que je me suis trompé…

Coup de masse en plein cœur. Il a renchéri :

— Penses-tu vraiment qu'on va « investir » dans une affaire de même ? Tu l'as dit tantôt : tu vas obtenir une bourse seulement SI tu fais partie des trois meilleurs. Tu sais ben qu'on va pas loin avec des « si » !

— Papa, je suis capable de gagner ! répliquai-je avec une conviction fragile. Je suis bonne pour vrai !

— Pis moi, je suis bon en mécanique, mais je demande à personne de pitcher mille piastres par la fenêtre pour ça !

Nouvel argument de marde.

— Si tu ne me crois pas, appelle monsieur Forest et demande-lui ! Il ne m'enverrait jamais là-bas s'il ne croyait pas en moi.

— C'est lui qui t'a mis ces idées-là dans la tête ? On peut arrêter ça drette là, le Conservatoire, si ça te réussit pas.

Ma respiration se comprimait et je me battais de toutes mes forces contre un vertige.

— NON ! C'est la seule chose que j'aime et vous n'avez pas le droit de me l'enlever ! De toute façon, c'est moi qui paye les deux tiers de mes cours !

À cet instant précis, mes chances se sont envolées. J'avais attaqué la fierté de mon papa pourvoyeur.

— Alors, imagine-toi pas qu'on va payer tes niaiseries de Vancouver, ma petite fille.

Ses mots tournaient dans ma tête en fissurant ce qu'il me restait d'estime. Mon père ne croyait pas en moi.

De retour dans ma chambre, j'ai déchiré le tableau de dépenses qui était resté dans mon jeans. Je me suis effondrée sur le lit et j'ai envoyé un courriel à mon professeur : « Mes parents ne veulent pas m'aider. Je ne pourrai pas participer au concours. Je m'excuse… Je reprendrai mes leçons dans une semaine. J'ai besoin d'une pause. »

Mes larmes coulaient sans retenue, chaudes, lourdes et déroutantes. Je fermais les paupières en souhaitant bêtement y enfermer ma tristesse, mais ma stratégie ne faisait qu'empirer mon état. Mon rêve venait d'éclater. Mon père avait craché sur mon avenir. Comment pouvais-je espérer taire mes émotions ? Depuis quelques années, la seule façon de calmer l'ouragan Lilie était de jouer de la musique. Malheureusement, la simple pensée de sortir ma flûte éveillait en moi une autre crise.

Brutale ironie.

J'étais comme une fille en peine d'amour qui réalise que la seule personne avec qui elle aimerait parler de sa séparation est, en fait, son ancien amoureux…

4

Ce matin, l'unique chose qui m'apportait de la joie était de ne voir personne avec mon air déprimé, mes paupières gonflées et mes cheveux de mauvaise humeur. J'avais passé mon vendredi soir à écouter de vieilles chansons françaises dramatiques, enfermée dans ma chambre. Je m'étais endormie tout habillée, pendant que jouait pour la cinquième fois un classique des *Misérables*, étrangement de circonstance : « J'avais rêvé d'une vie / Quand ma vie passait comme un rêve / J'étais prête à toutes les folies / À toutes les passions qui se lèvent / Quand on est jeune où est le mal ? / Je voulais rire, aimer et vivre / Danser jusqu'à la fin du bal / Ivre du bonheur d'être libre. »

Moi et une maman d'une autre époque en train de mourir : même combat.

Vers dix heures, ma mère a frappé le bas de ma porte avec son aspirateur pour s'assurer que je me réveille. Le bruit de sa machine sonnait comme une clarinette mal ajustée. Au lieu de réagir comme elle l'espérait, j'ai caché ma tête entre deux oreillers et je me suis laissée flotter dans une galaxie lointaine. Trois quarts d'heure plus tard, maman jouait nerveusement avec la poignée :

— Lilie, ton frère t'attend pour ranger l'épicerie, dit-elle en parlant vraiment fort. Fais pas l'enfant et lève-toi !

Jérémie a rouspété qu'il pouvait s'en occuper seul, alors que Jonathan, tout juste rentré, leur a demandé où j'étais.

— Dans sa chambre, avec sa musique sur les oreilles probablement, grommela mon père comme si de rien n'était.

Comme si c'était une matinée pareille aux autres. Comme s'il n'avait pas détruit mon rêve avec ses raisons insignifiantes. Comme si l'idée de croiser son regard n'était pas une raison suffisante pour rester cachée sous les draps jusqu'à la fin des temps.

Vers midi, lorsque ma mère m'a informée que le repas était servi, j'ai presque entendu de la douceur dans sa voix. Son inconscient voulait probablement me dire quelque chose du genre «je le sais qu'on vient de scraper ta vie, mais mon instinct me suggère d'être moins dure avec toi». Malheureusement pour elle, je n'avais pas l'intention de tourner la page. Je prévoyais leur faire payer leur absence de talent parental. Non pas en les insultant ou en piquant une crise, mais en tournant contre eux mon arme de prédilection : le silence.

Une demi-heure plus tard, ma mère a crié en direct de la cuisine :

— Lilie Jutras, tu vas être privée de repas si je tu ne sors pas immédiatement ! Ça suffit, le boudage…

Au moins, elle est consciente que j'ai une raison pour les éviter.

Je n'ai pas cédé à son chantage alimentaire, grâce aux restes de chocolat d'Halloween qui traînaient dans ma garde-robe depuis onze mois. Et pour me prouver que j'avais raison de résister, un sachet de Pop-Tarts a été glissé sous ma porte avec un mot :

> *Je sais pas pkoi tu te caches, mais ça fait capoter maman, pis c'est ben divertissant. Lâche pas !*
>
> *Jonathan*
>
> *P.-S. Si c'est parce que tu veux pas être dans mon groupe de musique, c'est correct. Je vais trouver une autre fausse passion !*

En milieu de journée, ma mère a tenté de déverrouiller ma porte, avant d'aller chercher mon père.

— Ghislain, on ne l'a pas entendue depuis hier soir ! gémit-elle. Pas un mot. Pas un bruit. Peut-être qu'elle est malade !

— Voyons donc, Suzanne…

— Rien depuis six heures quarante-cinq !

— Maman, intervint Jonathan, tu sais bien qu'elle aime ça, être dans sa bulle.

— Non, non, non ! renchérit-elle. Je le sens qu'il y a quelque chose de pas correct. Elle s'est peut-être fait mal !

Mon grand frère a éclaté de rire, ce qui a décuplé l'énervement de ma mère. Sans que je comprenne pourquoi, elle s'est dirigée au sous-sol avec mon père. Un instant plus tard, ils sont revenus à l'assaut avec une tactique absolument déloyale : débarrer ma porte et enlever les pentures !

What the fuck!

Outrée par leur réaction, j'ai enfilé mon manteau avant que mon père termine sa besogne. J'ai ouvert la porte et pris soin de les fixer chacun leur tour.

— Qu'est-ce qui t'est passé par la tête? cria ma mère.

J'ai continué d'avancer, jusqu'à ce que mon père m'agrippe le bras.

— Tu penses que tu t'en vas où comme ça?

J'ai planté mes yeux dans les siens pour qu'il ressente pleinement ma réponse:

— Exactement là où tu penses que ma vie s'en va: nulle part.

: :

Une partie de moi aurait voulu s'en aller pour de bon, mais l'idée de faire du pouce jusqu'à n'importe où et de m'improviser une vie, sans éducation, sans flûte et sans argent, me semblait peu tentante. Je m'imaginais vivre dans un appartement minable, payé par le bien-être social ou par une prétendue vocation de service aux tables, qui me tuerait les genoux et le bas du dos aux alentours de soixante-neuf ans, âge où je mourrais d'une crise cardiaque, les yeux vitreux et la bouche ouverte, laissant entrevoir mes dents jaunies, après avoir trop fumé pour oublier ma vie miséreuse.

À ceux qui pensent que j'exagère, je réponds « pfff ».

L'idée de porter plainte à la DPJ m'avait également traversé l'esprit, mais jamais je n'aurais osé. Les risques d'aboutir dans un centre pour délinquants ou dans une famille encore moins aimante que la mienne étaient trop élevés. Du reste, je ne pouvais pas sérieusement envisager le processus d'émancipation, qui permet aux ados de se libérer de l'autorité parentale et de voler de leurs propres ailes. La perspective de me louer un appartement, d'être responsable des tâches ménagères, de faire mes repas et de travailler des dizaines d'heures pour tout payer était assez déprimante pour que j'accepte d'endurer mes parents quelques années de plus.

Et je m'ennuierais probablement de mes frères plus que je l'imagine.

Bref, je me suis simplement dirigée chez les voisins, en espérant ressusciter ma sérénité. À l'instant où j'ai mis le pied dans l'entrée, une voix féminine m'a accueillie :

— Allô Lilie ! dit la *mamma* qui avait reconnu le bruit de mes pas. Émile est parti avec Paul pour la journée. Viens dans la cuisine que je t'embrasse.

Il a suffi d'une accolade et d'une odeur de gâteau pour que mon cœur recommence à battre normalement.

— Qu'est-ce qu'ils font ?

— Paul va partir quatre semaines pour un contrat cet automne, alors Émile l'a convaincu d'intensifier son apprentissage. Mais je pense que c'est une stratégie pour l'avoir juste pour lui, parce qu'il va trop s'ennuyer.

Rien dans son « juste pour lui » ne laissait sous-entendre un reproche. Maude trouvait toujours un moyen de s'occuper quand ses hommes la trompaient avec la photo. Elle acceptait leur complicité et étreignait sa solitude sans peine.

— Il va être en gros manque d'attention pendant le voyage de Paul, dis-je avec un sourire en coin. Sais-tu vers quelle heure ils reviennent?

Maude m'a répondu en sortant sa dernière création d'un moule:

— Difficile à dire. Ils se sont mis au défi de prendre seulement dix photos chacun. Paul veut forcer Émile à être le plus précis possible. Quand ils vont rentrer, je vais devoir choisir ma préférée, sans savoir qui l'a prise. Le gagnant va pouvoir étendre le crémage sur le gâteau et lécher le surplus!

Je veux une famille comme ça, moi aussi!

J'enviais la facilité avec laquelle ces trois-là se créaient des souvenirs. J'imaginais mal comment Émile pouvait battre Paul après seulement quatre ans de pratique, mais mon petit doigt me disait que Maude connaissait assez leurs styles respectifs pour identifier le travail de celui qu'elle voulait bien faire gagner ce jour-là.

— Avais-tu quelque chose d'urgent à raconter à Émile?

— Pas vraiment non…, répondis-je en sentant son regard scrutateur sur mon visage. OK, c'est pas vrai. Je voulais me plaindre et qu'il me dise plein de niaiseries pour me remonter le moral.

J'ai alors raconté à Maude tout ce qui m'arrivait: le concours, la réponse de mes parents et la fin du monde. J'espérais qu'elle me prenne en pitié et qu'elle me propose un éventail de solutions:

- Discuter avec papa et maman pour leur faire voir le gros bon sens;

- Me prêter l'argent qu'elle et Paul n'avaient pas voulu dépenser pour l'appareil d'Émile et s'assurer que leur fils me boude jusqu'à la fin des temps;

- Engueuler mes parents, les dénoncer à la DPJ et m'adopter illico !

Au fond de moi, je savais que rien de tout cela n'était valable. Jamais la *mamma* ne se mêlerait de l'éducation ou des choix financiers de mes parents. Et comme j'étirais déjà leur élastique de patience en me réfugiant constamment chez les Leclair (ce qui, en langage courant, signifiait que la vie était clairement plus belle chez eux), je ne pouvais pas provoquer les miens plus que je ne le faisais déjà.

— Tu dirais quoi de m'aider à préparer une *batch* de galettes à m'lasse juste pour nous deux ? relança Maude en sachant pertinemment que je perdais toute forme de cohésion mentale dès que j'étais en présence de ces petites merveilles.

— Ouiiii !

— C'est une recette de mon arrière-grand-mère qui doit rester dans la famille, mais entre toi pis moi, Émile a pas mal plus de potentiel pour les manger que pour les cuisiner. Et je suis certaine que mes ancêtres seraient d'accord pour t'avoir dans la *gang*.

La fabrication des meilleures-galettes-de-la-vie était assurément le remède parfait à ce qui m'arrivait. Au bout de quelques heures, Émile et Paul sont arrivés en parlant fort et en échangeant des blagues que seuls eux comprenaient. Jusqu'à ce qu'ils réalisent ce que nous étions en train de manger.

— Oh ! Les galettes de ta grand-mère ! formula Paul avec la même énergie enfantine qui faisait le charme de son fils. Je croyais qu'on mangeait du gâteau aujourd'hui.

La *mamma* et moi avons échangé un regard de renardes malignes.

— Ça n'a pas changé! rétorqua Maude en embrassant son mari. Le gâteau attend au frigo, mais Lilie et moi, on a eu une petite fringale, alors on a préparé une fournée juste pour nous deux.

Père et fils nous fixaient comme si nous venions de leur annoncer la mort d'un bébé chien.

— Ben là, juste une! S'il vous plaaaaît, supplia Émile.

— Seulement si vous faites la vaisselle! répondit la *mamma*.

Les garçons se sont obstinés pour déterminer qui laverait et qui essuierait, pendant que Maude et moi engloutissions les galettes, en les menaçant de tout manger s'ils ne se dépêchaient pas. Affamés et impatients, ils se sont débarrassés de leur corvée à la vitesse de l'éclair. Puis, ils ont préparé un diaporama de leurs photos pour que nous choisissions le vainqueur. Machiavéliques, nous avons sélectionné deux clichés *ex æquo* en sachant que les inséparables allaient se battre pour manger les restes de glaçage.

La soirée avait été légère, imprévisible et ô combien réconfortante. Jusqu'à mon retour à la maison, quand j'ai aperçu un mot laissé à mon attention sur la table.

> *Flûte confisquée. On attend des excuses.*
> *Maman et papa*

J'avais envie de crier et de m'enfermer dans ma chambre jusqu'à mes dix-huit ans. Mais c'était impossible: je n'avais plus de porte…

5

Assise dans mon lit, je fulminais depuis des heures : mes parents détruisaient mon intimité et osaient me demander des excuses ! Leur attitude n'était rien de moins qu'une attaque directe à mon bien-être et je ne voyais qu'une façon de réagir : la contre-attaque. Pendant la nuit, j'ai imaginé un plan diabolique (à lire de gauche à droite en descendant) :

PAPA	MAMAN
Vers la fin d'un prochain match des Canadiens, alors que ses chouchous tireront de l'arrière par un seul but, je couperai l'alimentation électrique de la maison.	En l'absence de ma mère, Jérémie répandra une mare de sirop saupoudrée de farine dans la cuisine, après que je lui aurai promis de lui laisser la chambre de Jo, lorsque celui-ci ira au cégep.
Le temps que papa trouve la boîte électrique au sous-sol, je sortirai par une fenêtre au ras du terrain pour crever les pneus de son camion et déclencher le système d'alarme. Ensuite, je rentrerai par le balcon.	Mon cadet hurlera avant que la lumière revienne, pour que ma mère aperçoive dans la pénombre du faux sang couler de sa main gauche, avec un couteau placé devant lui.

PAPA	MAMAN
Lorsque mon père se précipitera dehors, en short et en camisole, j'appellerai la police avec une voix paniquée pour les aviser qu'un homme tourne autour de la maison. Mon père voudra récupérer ses clés pour taire l'alarme, mais la porte d'entrée sera barrée.	Ma mère ordonnera à Jonathan d'aller chercher papa et se précipitera vers son plus jeune avec un linge à vaisselle pour stopper l'hémorragie, sans comprendre d'où vient la texture sous ses pieds.
Mon père verra les officiers arriver. Jonathan (à qui j'aurai promis de couvrir ses sorties nocturnes chez sa copine) en profitera pour le rejoindre dehors, prétendra qu'il ne le connaît pas et affirmera que l'homme a fait des menaces de mort à son petit frère.	Trop préoccupée par la «coupure» de Jérémie pour comprendre que la police s'est arrêtée devant sa maison, ma mère réalisera qu'elle a été bernée trop tard et consacrera toute son attention au plancher.
Le policier, idéalement un jeune blanc-bec qui ne connaît pas mon père, lui demandera ses papiers d'identité. Une demande à laquelle ce dernier ne pourra répondre, faute de pantalon.	Désormais sous l'influence de son trouble obsessif compulsif, maman dévouera son attention à la véritable urgence de la maisonnée : nettoyer la cuisine.
Pris de panique, papa tentera d'atteindre l'entrée, mais sera rattrapé par le policier, et lui demandera qu'elle explique tout aux policiers.	Jonathan informera maman que son mari s'est fait arrêter par la police. De retour dans le monde réel, elle sortira de la maison et démarrera le camion, avant de réaliser que les pneus sont crevés. Elle prendra alors un taxi, en maudissant le ciel pour cet argent gaspillé.
Au bout d'une heure, mon père entendra la voix de sa femme et demandera qu'elle leur explique tout.	Hors d'elle, ma mère exigera de voir l'homme arrêté devant chez elle.
L'un devant l'autre, dans la prison de Matane.	Ils seront humiliés. Et je serai vengée.

Mes frères seraient assurément punis, mais jamais mes parents ne pourraient prouver ma responsabilité dans ce qui leur arrivait.

Lilie Jutras = nouvelle candidate pour succéder au blondinet dans une suite de Maman, j'ai raté l'avion !

Je me suis dirigée vers le sous-sol où se trouvait Jonathan, certaine que son accord convaincrait notre petit frère de nous suivre. Avec un sourire particulièrement espiègle, je me suis assise sur le canapé en le fixant.

— Il me semble que t'es trop de bonne humeur pour une fille qui n'a plus de porte de chambre…

Il se moquait de moi, mais j'étais trop motivée pour m'offusquer.

— Si tu veux encore former un trio, je suis partante. Mais pas pour de la musique… Je veux organiser un coup contre pa' et man'.

— Je pense que c'est la plus belle chose que tu m'aies jamais dite ! répondit-il, surexcité. Tu veux faire quoi ?

Jo n'avait pas digéré l'interdiction d'inviter sa copine à dormir à la maison, même s'il aurait bientôt dix-sept ans. Ma mère insistait pour qu'il se concentre sur ses études et qu'il arrête de la « déranger avec ses petites blondes ».

À l'instant où j'allais lui dévoiler mon plan, une alerte à l'ordinateur m'a avisée qu'un message venait d'entrer. Monsieur Forest m'avait écrit.

— Allez ! Raconte-moi ! s'impatienta mon grand frère.

J'étais absorbée par le courriel : « Petite Lilie, on ne peut pas laisser faire ça. Je vais rendre visite à vos parents demain soir pour trouver une solution. Vous devez absolument reprendre les cours et dire bonjour à l'océan Pacifique de ma part dans trois mois. »

Oh. Mon. Dieu.

— Oublie ce que je viens de te dire ! lançai-je à mon aîné sans me préoccuper de son désarroi.

J'étais tétanisée à l'idée d'avoir presque gâché l'essai de la dernière chance avec mes idées vengeresses.

Tout bien réfléchi, l'acteur de Maman, j'ai raté l'avion *a extrêmement mal tourné : toxicomanie, prison, divorce à vingt-deux ans… Je ferais mieux de revenir à mes anciens plans de carrière !*

:::

En revoyant mon cadre de porte libéré de ses fonctions, j'ai esquissé un sourire et pris un élan pour effectuer le plus formidable vol plané jusqu'à mon lit. Perdue entre les draps, j'étais prise d'un fou rire interminable. La visite à venir de mon professeur me rendait extrêmement nerveuse, mais le projet que j'avais élaboré pour faire payer mes parents me laissait dans un état hilare. Seules quelques minutes s'étaient écoulées depuis le fameux message. J'avais déjà du mal à croire que j'avais imaginé quelque chose d'aussi merveilleusement grotesque pour exprimer ma colère.

Tu te tiens avec Émile-le-drama-queen depuis beaucoup trop longtemps. C'est clairement de sa faute !

Un instant plus tard, j'ai eu une pensée pour monsieur Forest : il m'avait un jour raconté que toutes les fois où j'entretenais de la hargne envers quelqu'un, c'est à moi que j'infligeais de tels sentiments. J'avais le choix de m'accrocher à ma grogne ou de m'en détacher pour avancer. Comme je refusais d'offrir mes états d'âme en spectacle à mes parents, j'ai tenté de trouver l'apaisement dont j'avais tant besoin depuis hier.

Voire depuis le début de ma vie...

Quoi de mieux pour sentir un câlin perpétuel que de regarder la moitié d'une saison de *Gilmore Girls* en une journée ? Dès l'instant où les notes de la chanson du générique d'ouverture ont résonné, ma cage thoracique s'est relâchée : « *If you are on the road / Feeling lonely, and so cold / All you have to do is call my name / And I'll be there on the next train / Where you lead, I will follow / Anywhere that you tell me too / If you need, you need me to be with you / I will follow where you lead.* »

Ma chanson préférée.

Celle qui illustrait si bien la loyauté qui m'unissait à mon meilleur ami. Et qui mettait en lumière tout ce qui manquait entre mes parents et leurs enfants...

6

Lundi matin, quelques heures avant la rencontre entre mon allié musical et ceux qui me mettaient des bâtons dans les roues, la fébrilité avait installé ses quartiers généraux dans ma chambre. La faim m'avait désertée, et j'étais convaincue que mon miroir était mon ennemi. Je me suis rendue à la polyvalente en affrontant le froid de l'automne gaspésien, mieux connu sous le nom du « début de l'hiver ». Au bout de trente minutes, mon visage, ma tête et tout ce qui m'appartenait semblaient trop gelés pour réfléchir, angoisser ou se plaindre de quoi que ce soit. Devant ma case, j'essayais de me réconcilier avec mes cheveux qui s'étaient fait intimider par le vent, lorsqu'une voix m'a distraite :

— C'est joli, le rose, sur ta peau bronzée.

Le compliment sortait de la bouche d'Alexis Séguin, un gars de quatrième secondaire, vertigineusement grand comme Émile, mais moins mince, avec un nez plein de caractère (un peu croche), une mâchoire carrée et des yeux verts qui me fixaient, depuis qu'il s'était adossé sur une colonne de béton près de moi. Peu habituée aux compliments sur mon physique et surprise que mon allure actuelle mérite l'attention de quiconque, j'ai bredouillé «merci» en évitant son regard.

— Est-ce que je peux te demander ton prénom? dit-il.

Citoyen de Matane depuis l'été dernier, Alexis tentait de faire sa place dans une polyvalente où les élèves se connaissaient depuis la première année, voire la maternelle. Son identité avait circulé dans l'école en trois jours, mais il avait la tâche ingrate de reconnaître les visages, d'apprendre nos noms et de faire les premiers pas.

— Lilie, marmonnai-je avec une voix effacée que je ne me connaissais pas.

— Si je te demandais ton numéro de téléphone, tu me répondrais quoi? lança-t-il avec un sourire taquin.

M'abordait-il avec autant de calme parce qu'il avait un an de plus que moi, parce que sa posture de nouvel arrivant l'obligeait à sortir de sa zone de confort ou simplement parce qu'il était confiant de nature? Je l'ignorais. Par contre, je savais que je n'étais pas prête à lui fournir mes coordonnées.

— Peut-être une autre fois.

Je ne pouvais pas expliquer pourquoi je repoussais ses avances. Il était joli comme tout, il dégageait quelque chose de profondément gentil et il avait l'avantage de ne pas faire partie des gars que je côtoyais depuis toujours.

Comprendre ici: il ne m'avait pas vue porter des robes de poupée jusqu'à dix ans et je ne l'avais pas rencontré dans sa phase «les filles, ça pue, hors de ma vue».

Je m'étais laissé guider par la peur. Celle de ne pas savoir quoi dire, comment réagir ou qui être. Parce que je n'avais jamais eu de copain, pas même un début de relation, ni une histoire de fillette qui présente celui avec qui elle se balance à la récréation comme son «amoureux». Puisque je consacrais la majeure partie de mes temps libres à la musique, mes pensées tournaient rarement autour des garçons. Alexis n'était donc pas directement concerné par mon refus temporaire de flirter.

— Alors, j'ai le droit de revenir te parler, rétorqua-t-il sans se laisser désarçonner.

— Je ne connais aucune loi qui t'en empêche...

T'es presque romantique, fille.

Jamais personne ne m'avait montré à être naturellement charmante, désinvolte sans être fermée, intéressée mais pas dépendante. Ces concepts sonnaient à mes oreilles comme du chinois. Mes lèvres n'avaient jamais fricoté avec celles d'un garçon. Contrairement à certaines filles de mon âge qui expérimentaient le sexe depuis l'année dernière, j'étais l'incarnation de la virginité.

Je suis encore un bébé qui doit apprendre à marcher, mais qui préfère ramper quelques semaines de plus...

Sans que je m'en aperçoive, mon meilleur ami avait tout vu à distance. Il s'était retenu d'intervenir pour ne pas détruire ce qui me restait de dignité.

— Oh mon Dieu! C'était quoi, ça? lâcha Émile en s'assurant qu'Alexis soit trop loin pour l'entendre.

— Rien…, dis-je en réprimant un sourire.

— *Come on,* tu te retiens de ne pas éclater de joie !

Je sentais un ou deux papillons me chatouiller l'intérieur.

— Mets-en pas trop non plus. On a juste échangé quelques mots.

Ne pas nommer les choses = ne pas les ressentir.

— Dis pas n'importe quoi ! Il te regardait comme une luciole au creux de ses mains : ben impressionné de te parler de près, mais au courant qu'il doit faire attention pour ne pas que tu t'échappes ou que tu te fasses mal.

Notre hommage métaphorique aux insectes témoignait davantage de notre enfance passée en nature que d'une quelconque forme de poésie amoureuse. Émile étant aussi peu expérimenté (habile) que moi dans le domaine. N'empêche, il possédait une façon bien à lui d'observer le monde et de comprendre les non-dits. Sa comparaison confirmait le regard qu'Alexis avait posé sur moi et la posture que je souhaitais éviter : être prise au piège dans une histoire sentimentale que je serais incapable de vivre. Faute de disponibilité… de l'horaire et du cœur. Mon petit doigt me disait que j'allais bientôt devoir ouvrir cette porte, mais pas tout de suite.

— Peut-être… mais je ne veux pas trop y penser. J'ai plein de choses en tête, ces temps-ci.

— T'es sérieuse, là ? Y en a enfin un de nous deux qui se fait *cruiser,* pis tu trouves pas ça important ?

— Tu sais aussi bien que moi que tu pourrais te pogner n'importe qui, avec ta gueule d'ange.

Ce n'était pas tout à fait exact.

— Ben oui…, reprit-il avec ironie, j'oubliais que tout le monde me voulait et que j'étais célibataire parce que je suis mons-trueusement difficile.

Mon meilleur ami aurait pu être l'un des gars les plus popu-laires de l'école : magnifiquement beau, toujours divertissant (même sans le chercher), plus sensible que la moyenne, bril-lant et doté d'un je-ne-sais-quoi qui le distinguait des autres, il m'était longtemps apparu comme un candidat potentiel.

— Je suis sûre que tu vas briser des cœurs plus tard…

Au fond de moi, je sentais qu'Émile devrait être patient avant de concrétiser son potentiel amoureux. Et je savais que nous ne formerions jamais un couple.

— En attendant, ajouta-t-il, je vais placer mon petit foulard dans ma fenêtre… et prier pour ne pas avoir vingt ans avant de donner mon premier baiser !

Jamais nous n'avions tenté l'expérience, même pas pour apprendre la technique avant d'en faire profiter les autres. Émile n'avait jamais posé sur moi des yeux chargés d'attirance. Parce que malgré tous les efforts qu'il faisait pour le taire, il était probablement… homosexuel.

: :

J'ai beaucoup réfléchi aux préférences de mon meilleur ami. J'étais flattée d'avoir retenu l'attention d'Alexis Séguin. Mais aujourd'hui, aucun de ces sujets ne faisait le poids face à mon avenir musical. Chacun de mes cours s'était déroulé avec une lenteur olympique, comme si le responsable du grand sablier de la vie avait choisi le dernier lundi de septembre pour prendre une pause syndicale.

Peu après seize heures, je gambadais entre l'école et le chemin de la Grève, avec Émile sur les talons.

— Je veux savoir comment ça se passe, tantôt! dit-il en arrivant chez lui. Même si tes parents refusent et qu'ils sont furieux que monsieur Forest soit venu les voir et qu'ils cherchent des nouveaux moyens pour rendre ta vie laide et qu'ils t'enferment au sous-sol dans une pièce pas de lumière, trouve un moyen de communiquer avec moi!

Deux heures plus tard, mon professeur a cogné à la porte. Mon cœur s'est emballé. Mes parents lui ont ouvert, avant de crier mon nom. Monsieur Forest leur a expliqué qu'ils étaient l'objet de sa visite. Pris au dépourvu, mon père n'a pas pu prétexter son désir de regarder une partie de hockey présaison qui ne comptait pas au classement, puisque ma mère avait déjà proposé à mon professeur de les accompagner dans la salle à manger.

Rien de plus qu'un réflexe de bienséance.

— Lilie nous a déjà parlé de vos idées, pis on n'est pas à l'aise avec ça, affirma mon père en imaginant de quoi il serait question. Je pense que vous vous êtes déplacé pour rien.

Assise au salon à quelques pieds de la réunion d'État, je me retenais pour ne pas surgir et faire comprendre à mon père qu'il manquait de respect envers monsieur Forest. Ce dernier a pourtant répondu avec calme:

— Je ne pense pas perdre mon temps en rencontrant ceux qui ont mis au monde une petite fille aussi spéciale. Ne vous inquiétez pas, je ne suis pas ici pour vous dire comment mener vos vies. J'imagine très bien les raisons qui vous font hésiter à dépenser autant d'argent pour votre fille.

J'imaginais sans difficulté la surprise de mes parents.

— Chaque fois que Lilie me parle de vous, reprit monsieur Forest, j'ai l'impression de me revoir à son âge. Vous savez pourquoi?

— Non, marmonna ma mère.

— Parce que j'étais le mouton noir de ma famille. Mon père était avocat et ma mère s'occupait des enfants. On était huit à la maison. La musique ne faisait pas partie de nos vies. Papa était le premier de sa famille à avoir fait des études universitaires et il était trop occupé à bâtir sa carrière pour perdre son temps avec des fantaisies, qu'il disait. Il se démenait comme vous, monsieur Jutras, avec votre garage, pour mettre de la nourriture sur la table et pour que ses enfants soient bien. Il rêvait que ses garçons fassent des études en médecine ou en droit.

Jamais mon professeur ne m'avait partagé ces extraits de son passé. J'étais curieuse de le découvrir davantage.

— Un jour, j'ai osé lui parler d'une carrière en musique, dit mon professeur avant de prendre une légère pause. Pour mon père, c'était comme si je détruisais tout ce qu'il avait imaginé pour moi! Pourtant, aujourd'hui, je sais qu'il voulait juste mon bien... et je n'ai jamais arrêté d'être son fils parce que j'ai fait ma place autrement. Le jour où je suis devenu premier flûtiste dans l'orchestre de Vienne, il s'est mis à parler de moi à tout le monde. Il a pris l'avion et il est allé voir son premier concert classique à vie! Ce soir-là, quand ma mère et lui m'ont visité dans les loges, il m'a dit: «En tout cas, ça valait la peine de traverser l'océan, mon gars.» Pour lui, ça voulait tout dire. Et même s'il n'a jamais compris pourquoi je me sens si bien avec une flûte au bout des doigts, je suis certain qu'il ne pense plus que son fils a choisi la mauvaise carrière...

Un silence s'est installé, jusqu'à ce que papa brise la glace:

— Je comprends où vous vous en allez avec ça, monsieur. Votre père est comme nous autres, il ne connaissait rien à la musique. Mais justement, comment on est censés savoir si Lilie a ce qu'il faut pour réussir comme vous? Comment on peut l'envoyer à Vancouver en étant certains que ça vaut le coup et qu'elle ne va pas revenir le cœur en miettes, parce qu'on lui a mis des rêves pas possibles dans la tête? Et comment on fait pour qu'elle ne soit pas comme les petites filles qui s'imaginent devenir comédiennes ou chanteuses, mais qui vont frapper un mur en réalisant que ça se peut presque jamais?

Mon cœur s'est serré d'un coup. Je craignais que les mots de monsieur Forest amplifient le dédain de mes parents envers la musique, mais voilà que leur refus sonnait davantage comme une envie de me protéger. La réponse de mon professeur était empreinte de sagesse:

— Parce que Lilie ne ressemble à aucun des jeunes musiciens que j'ai entendus depuis le début de ma carrière. Votre fille ne se contente pas de son talent naturel. Elle bûche comme j'ai rarement vu des ados le faire. C'est impossible de ne pas s'arrêter pour l'écouter quand elle est dans sa zone. On ferme les yeux et on a l'impression de percevoir tout ce qu'elle ressent à travers ses notes. C'est pour ça que j'ai eu envie de vous rencontrer. Je ne me pardonnerais pas de ne pas essayer de vous convaincre. Elle mérite d'aller à Vancouver.

J'anticipais que la discussion allait se corser.

— Ouin, souffla mon père. On voudrait ben, mais on ne peut pas jouer dans nos économies comme ça.

— Il y a nos deux gars, les vacances, ma voiture à changer bientôt…, énuméra maman.

S'il vous plaît, monsieur Forest, n'abandonnez pas !

— Je comprends, assura mon professeur. Vous avez des responsabilités. Mais si je peux me permettre, le *timing* ne pourrait pas être plus parfait pour Lilie. Elle a atteint une maturité technique très intéressante, mais elle est encore assez jeune pour être remarquée en vue d'une bourse d'études dans une grande école.

— Lilie n'est pas prête à quitter la maison ! s'insurgea ma mère.

— Elle va finir son secondaire ici, ne vous inquiétez pas, dit monsieur Forest. Le concours pourrait quand même être déterminant pour son futur. Je lui ai déjà expliqué que j'étais prêt à lui offrir une leçon de plus par semaine, de façon entiè- rement bénévole, et le Conservatoire a accepté de puiser dans un budget spécial pour payer son inscription, ce qui couvri- rait son hébergement, la nourriture et les ateliers durant le camp de préparation. Il reste donc le billet d'avion à payer. On parle de six cents dollars environ. Ça voudrait dire beau- coup pour Lilie si vous l'encouragiez avec nous tous.

— Est-ce qu'on peut y réfléchir ? demanda papa du bout des lèvres.

Re-Vi-Re-Ment-De-Si-Tu-A-Tion !

— Sauf le respect que je vous dois, dit mon professeur, si votre fille veut performer à la hauteur de son talent, on doit reprendre les cours dès demain. On a énormément de travail devant nous.

Un silence de la mort a suivi le plaidoyer final de mon professeur. J'ai coupé ma respiration pour être certaine de ne rien manquer : un bruit de chaise, une porte d'armoire, le néant à nouveau, et bam, la porte de la salle à manger s'est ouverte. Mon père m'a vue et il m'a redonné ma flûte.

— On ne pourra pas t'amener avec nous en voyage l'été prochain…, affirma-t-il sur un ton que je n'arrivais pas à déchiffrer. De toute façon, tu vas sûrement être en Autriche pendant ce temps-là.

Woooaaaaaaaaaaaaaaaaaaaaaaaaaaa !

— Pour vrai de vrai ? rétorquai-je. C'est pas une blague ?

— Je pense pas avoir manqué ma carrière d'humoriste, répliqua-t-il avec un pour cent de sourire.

Incapable de lui sauter au cou, j'ai formulé un « merci » sans voix pour exprimer toute ma reconnaissance. Pendant que mes parents faisaient du *small talk* avec monsieur Forest, je suis montée à l'étage pour mimer la plus grosse explosion de joie de l'histoire !

::

Aucune mauvaise nouvelle ne pouvait gâcher ma bonne humeur hyperactive. Ni les ravages de l'ouragan Katrina diffusés aux téléjournaux depuis un mois, ni la guerre en Irak qui s'éternisait, ni le divorce de Brad Pitt et de Jennifer Aniston. Je déambulais dans les couloirs de la poly en flottant un pied au-dessus de tout le monde. L'idée de reprendre mes cours de musique en soirée suffisait pour rendre supportables, limite agréables, les heures consacrées à l'algèbre, au schéma actanciel du conte et aux accords du « présent parfait continu en anglais ».

Un jour, je vais faire une recherche pour trouver qui a inventé ce temps de verbe absurde !

Pour le moment, j'avais d'autres priorités. Alexis Séguin se tenait à trois mètres de ma table à la cafétéria. Je me sentais aussi confiante qu'Halle Berry dans le premier *X-Men*, quand elle a vu sa coupe de cheveux blancs dans le miroir.

— C'est gentil de m'avoir gardé une place, dit-il avec un charme naturel qui m'atteignait plus que je ne le voulais.

— Ah, eee, mais non, c'est pour un autre gars ! Je veux dire… pas un autre gars… c'est juste Émile. Ben, c'est un gars lui aussi, là… Pis tu peux t'asseoir si tu veux. Je ne vais pas m'enfuir.

La fille qui marchait en apesanteur tantôt vient de se péter le nez sur le béton…

— OK…, formula Alexis avec incompréhension. Je peux revenir, si tu attends ton ami.

— Ben non, reviens pas ! Arghhhh ! Je veux dire, assois-toi…

J'ignorais ce qui me troublait le plus: ma maladresse ou sa belle face.

— Je t'ai vue ce matin en débarquant de l'autobus, affirma-t-il. Je ne sais pas ce que t'avais, mais ça m'a donné envie de sourire, comme ça, sans raison… Je me suis dit que ça devait être un bon moment pour te revoir.

Je sentais peu à peu mon cerveau réintégrer mon corps.

— Ouin, justement, j'ai réfléchi à ce que tu m'as dit l'autre jour…, formulai-je même si je n'avais pas du tout pensé à un moyen de gérer son intérêt à mon égard.

Il a répliqué avec espièglerie:

— Toi aussi, tu te trouves jolie avec les joues roses ou tu as décidé de me donner ton numéro? Je te promets de jamais le vendre sur le marché noir des gars célibataires de Matane. J'ai entendu dire que ça jouait *rough* dans le coin.

Veux-tu s'il te plaît arrêter d'être adorable? J'ai quelque chose de plate à te dire!

— Faut pas croire tout ce qu'on raconte sur les régions. On est gentils, des fois…

J'ai réalisé trop tard que je lui avais ouvert une porte.

— Je suis plus que prêt à le découvrir, répondit-il. As-tu quelque chose de prévu après l'école?

— Oui! J'ai un cours de musique super important.

C'est ça, Lilie. Focalise sur tes priorités, pis arrête de faire ta coquine cute.

— Ça te tenterait qu'on fasse quelque chose après ?

— Écoute, Alexis… Tu es super gentil et je vais sûrement avoir l'air de la fille trop intense qui réfléchit trop, mais je ne peux pas accepter ton invitation. J'ai une méga compétition de musique dans deux mois. Le genre qui pourrait changer ma vie. Je dois vraiment me concentrer à trois cents pour cent là-dessus…

Au lieu de me regarder comme si j'étais folle et vite en affaires, il me fixait de ses yeux verts.

— C'est correct, chuchota-t-il avec un brin de déception. Au moins, je pourrai me dire que tu as refusé une première *date* avec moi parce que tu as trop peur d'en vouloir une deuxième pis une troisième.

Son mélange de confiance et d'humour rendait ses mots mille fois plus désarmants que s'ils avaient été prononcés par un des douchebags pas de colonne que je connaissais depuis toujours.

— Arrête, rétorquai-je en rougissant. Tu voudrais quand même pas avoir l'échec de ma carrière sur la conscience.

— Faut vraiment que je réponde à ça ?

J'ai essayé de ne pas fondre en apercevant une fossette se creuser dans sa joue gauche et j'ai fait « non » de la tête.

— Est-ce que j'ai le droit de penser que j'ai encore une chance ? poursuivit-il.

Quelque chose en moi me retenait de le décourager.

— Qui ne dit mot consent, murmura-t-il. Je peux vivre avec ça.

: :

Une minute après la fin des classes, je suis sortie de la poly-valente avec le manteau ouvert et le foulard qui tenait autour de mon cou par je ne sais quel miracle.

— Lilie, attends! cria Émile derrière moi.

— Je suis pressée, Mile. Je reprends enfin mes cours!

— Je le sais, mais je voulais que tu me racontes ce qui s'était passé avec Alexis. Je t'ai vue jaser avec lui ce midi. Je me suis dit que tu allais me détester jusqu'à la fin des temps si je vous dérangeais.

Au contraire, ça m'aurait évité de douter de mes priorités!

— C'était rien. Je lui ai expliqué que je n'avais pas de temps pour le voir et il a super bien réagi.

— Ben là, pourquoi t'as dit ça, grosse nounoune?

Je me suis arrêtée brusquement.

— Parce que je ne veux penser à rien d'autre qu'à la musique jusqu'au début décembre… pis peut-être à toi, un peu, si tu te rappelles comment être gentil.

— Viens pas me faire accroire que t'as pas une heure de libre pour le voir! s'insurgea Émile. Tu dois ben les reposer, tes petits doigts.

Son argument n'était pas du tout convaincant.

— On sait tous les deux que ça commence avec une heure, pis que ça finit en trente-sept!

— Non, on le sait pas, parce qu'on n'a jamais été en couple ni toi ni moi. Pis là, tu viens de détruire ta chance de sortir avec un des rares gars du coin qui a de l'allure.

Malgré ma volonté d'avoir le dessus dans notre discussion, j'ai préféré ne pas le déstabiliser en relevant le sous-entendu de sa dernière phrase. Chaque chose en son temps…

— Mile, fais pas semblant de pas comprendre. Avec la photo, t'es aussi intense que moi, sinon plus. T'as pas le droit de me critiquer juste parce que j'ai un rêve et que je fais tout pour le réaliser.

— En tout cas, plains-toi pas si tu deviens la meilleure flûtiste vieille fille de l'histoire ! lâcha-t-il quand nos chemins se sont séparés.

J'étais persuadée qu'il réagissait ainsi parce qu'il rêvait de voir sa propre vie amoureuse prendre forme. Je sentais le même désir grandir en moi, mais j'essayais de l'étouffer avec plus ou moins de succès. À vrai dire, je craignais de me priver d'une histoire de cœur, en misant tout sur un concours aux répercussions incertaines…

: :

Après avoir joggé jusqu'à la maison de monsieur Forest avec du feu dans les yeux, style Rocky sur les stéroïdes, j'écoutais chacun de ses conseils comme un boxeur sur le point de livrer le combat de sa vie. Mon professeur avait préparé un plan de progression de huit semaines, jusqu'à mon départ pour la Colombie-Britannique. Au milieu du cours, il a mis sous mon nez les deux pièces qui, selon lui, montreraient l'étendue de mon talent : l'une avec laquelle je me sentais à l'aise depuis six mois et l'autre qui semblait aussi périlleuse que de gravir le Kilimandjaro sur les mains.

— Vous êtes certain de celle-là ? demandai-je en sentant ma détermination fléchir.

— Absolument, répondit-il avec un éclat dans l'œil. Je vous propose un mariage entre le confort et le vertige. Si vous voulez finir parmi les meilleures, vous allez devoir dépasser vos limites.

Je ne savais pas ce qui m'inquiétait le plus : affronter la deuxième pièce que je surnommerais dorénavant la Bête ou sentir que monsieur Forest était presque aussi fébrile que moi. Malgré les doutes que j'entretenais sur mon potentiel, je savais que je représentais quelque chose d'important dans sa carrière. À soixante-cinq ans passés, dans une région où la pratique musicale de haut niveau était souvent perçue comme un luxe, les probabilités d'accompagner un musicien vers une carrière professionnelle étaient minces. Après un quart de siècle à jouer en Europe et deux décennies à transmettre sa passion au Conservatoire, il voyait en moi la possibilité de goûter pour la dernière fois à l'exception : celle d'avoir aidé un élève à faire partie de l'infime pourcentage d'êtres humains qui percent un domaine aussi convoité que compétitif, auquel on accède grâce à un don précieux, du travail acharné, de la chance, des contacts et un coup de pouce du destin.

Depuis que j'étais arrivée chez lui, je percevais son énergie pétillante et sa voix moins posée qu'à l'habitude. Je n'arrivais pas à le déchiffrer aussi aisément que je le faisais avec Émile, mais plus je progressais à ses côtés, plus je sentais les gens et la vie avec une intensité multipliée.

Pour le meilleur et pour le pire...

7

Semaine 1

Tu voulais sortir de ta zone de confort pour devenir meilleure ? Ben assume et travaille !

Je me répétais ces phrases comme un mantra tous les matins. Monsieur Forest était aussi doux et chaleureux qu'avant, mais ses exigences grandissaient. Comme s'il avait passé les dernières années à solidifier mes bases et qu'il venait de passer en mode raffinement. Évidemment, comme j'étais une perfectionniste orgueilleuse (j'avais un besoin malsain de performer), j'étais sans pitié envers moi-même. Je bouillais lorsque je trébuchais sur la Bête. Je devais me parler pour ne pas piquer une crise, dès qu'une fausse note se glissait dans mon jeu. J'avais même interrompu mon autre pièce, celle que j'aimais et que je maîtrisais, après avoir perdu le rythme. Un geste qui avait déplu à mon professeur :

— Qu'est-ce que vous allez faire devant les juges, si vous vous trompez sur une petite note de rien du tout : arrêter de jouer et bousiller toutes vos chances ?

— Non, je suis désolée…

Combien de fois m'avait-il demandé de ne plus me taper sur la tête quand je faisais une erreur ? Plus que je n'osais l'imaginer… Monsieur Forest affirmait que les plus grands musiciens étaient imparfaits et qu'un concert avec un orchestre était le dernier endroit où l'on pouvait se permettre une pause pour se plaindre.

— Vous avez sûrement l'impression de souffrir plus qu'avant, reprit-il, et vous êtes probablement convaincue que les membres du jury seront impitoyables avec vous. Mais votre plus grand obstacle, ce ne sont pas mes exercices, la nouvelle pièce, ni les juges de Vancouver : c'est vous.

Il avait cette manie d'avoir toujours raison.

— En tout cas, j'ai hâte de m'enlever du chemin pour être bonne ! dis-je pour détendre l'atmosphère.

— C'est facile d'être bonne, vous l'étiez avant que je vous enseigne. Mon objectif, c'est que vous déployiez votre plein potentiel.

Habile, mon prof laissait sous-entendre que je pouvais accomplir de grandes choses, sans exprimer de compliments auxquels je m'accrocherais comme à une bouée. Ni préciser d'objectifs sous forme de résultats, afin d'aider mon esprit à déjouer le piège des attentes.

— Facile à dire ! Ce n'est pas vous qui devez apprendre une pièce qui ne devrait même pas avoir le droit d'exister ! rétorquai-je en rigolant. Ça fait une semaine que je la regarde comme une grosse bibitte visqueuse qui veut ma peau. Je l'appelle « la Bête », pis je me trouve très drôle.

Monsieur Forest a éclaté de rire avec des yeux qui disaient « je ne pensais jamais entendre quelque chose d'aussi ridicule ».

— Si les métaphores vous amusent, vous devriez peut-être voir la partition comme le monstre dans *La Belle et la Bête*, celui qui se transforme en beau prince, après que la jeune fille l'a apprivoisé et qu'elle a compris ce qu'il pouvait lui apporter.

J'étais abasourdie qu'il fasse référence à un film de Disney pour me convaincre de jouer sa maudite pièce, mais je n'étais plus à une surprise près. Depuis le début de ma préparation intensive, il ne se passait pas une journée sans que je m'endorme avec le sentiment d'avoir été transférée dans un autre corps que le mien. Comme si j'étais un animal en mutation qui devait laisser derrière sa vieille enveloppe corporelle et ses habitudes mentales pour atteindre le stade supérieur de l'évolution. Le processus était souffrant. Mille fois plus que je ne l'aurais cru. Mais je ne pouvais pas non plus comparer la dernière semaine à un *boot camp* musical. L'approche de monsieur Forest n'avait rien de militaire. Jamais il ne s'impatientait et son but n'était visiblement pas de me transformer en machine infaillible.

— Vous n'êtes pas un robot, Petite Lilie, m'avait-il dit un jour. Je veux que vous connaissiez vos pièces par cœur et que vous puissiez les jouer sans vous tromper, mais il y a plus que ça. Si on ne sent pas votre âme à travers chaque note, vous serez une musicienne parmi tant d'autres. Et vous n'êtes pas née pour ça.

Semaine 2

Il était réapparu dans ma vie il y a quatorze jours, promettant de faire palpiter mon cœur, de m'émouvoir et d'accélérer le temps. Il se tenait près de mon lit et me regardait dormir toutes les nuits, sans que mes parents disent un mot. Ils étaient déconnectés de ma réalité quatre-vingt-dix-sept pour cent du temps, mais ils comprenaient la place spéciale que cet adolescent avait dans mon cœur. Quelques années plus tôt, lorsqu'il était entré dans mon existence, mes parents avaient fait leur petite enquête : ma mère avait parlé de lui à ses amies en ville et mon père avait organisé un tête-à-tête de plusieurs heures en sa compagnie pour s'assurer qu'il était convenable pour une fille de dix ans. Séduit à son tour, mon père m'avait donné sa bénédiction en me conduisant en ville, chaque fois que le garçon revenait à Matane. Celui-ci m'attendait en silence avec son air doux et ténébreux, toujours au même endroit : debout sur l'étagère centrale de la librairie.

Harry Potter.

Mon seul amour à ce jour était de retour avec ses histoires de *Prince de Sang-Mêlé*. Le 1ᵉʳ octobre 2005, un samedi matin, les portes de la caverne d'Ali Baba s'étaient ouvertes et je m'étais précipitée sur l'unique objet de mes désirs : le sixième tome des aventures – enfin traduites en français – de mon sorcier préféré. J'étais revenue chez moi en analysant les gestes des passants, certaine que l'un d'eux voudrait me le dérober. J'avais déposé mon trésor dans ma chambre sans l'ouvrir, trop pressée de retourner à ma flûte, après avoir cru ma destinée musicale menacée.

Avoir enfin le livre sous mon toit me comblait.

Malheureusement pour ma relation avec Harry, je m'étais laissé prendre au jeu. Initialement prévue pour durer deux heures, ma répétition en avait pris le double. Le défi que mon professeur me proposait s'avérait plus imposant que prévu et mon impitoyable quête de perfection s'était placée entre le petit Potter et moi. J'étais rentrée de ma répétition le cerveau lessivé, tout juste capable de m'adonner à des jeux vidéo avec Jo et Jé.

C'est quand même pratique d'avoir des frères avec qui étouffer toute forme de stimulation intellectuelle.

D'une intensité déroutante, les sept premiers jours de mon camp musical m'avaient fait douter de mes capacités encore plus qu'avant. Pour me rassurer, je m'endormais tous les soirs en récitant une prière à une force invisible sans nom. Je l'implorais de m'aider à maîtriser tel passage. Je la suppliais de faire un sans-faute devant les juges. Et je lui demandais d'insuffler une bonne dose de laisser-aller dans mon jeu. Je répétais mes demandes dix fois de suite avant de m'endormir. J'ignorais pourquoi ce nombre s'était imposé. Mais plus le temps passait, plus ces prières alourdissaient mon esprit, nuisaient à mon sommeil, augmentaient mon stress et ajoutaient une couche de fatigue à mon épuisement.

Clairement pas la meilleure méthode pour lâcher prise, finalement...

Le jour où monsieur Forest m'a questionnée sur mon état, j'ai senti qu'il valait mieux lui parler sans détour de ma très mauvaise stratégie. Je savais qu'il verrait mes cernes, qu'il percevrait mon dynamisme au ralenti et qu'il était probablement capable de lire dans ma tête, même s'il ne l'avouerait jamais. Je pouvais quasi prédire les mots qu'il emploierait pour me ramener sur le droit chemin, tant je les avais entendus souvent :

— Vous pensiez peut-être qu'en concentrant votre attention sur ce que vous vouliez améliorer, vous allez y arriver. Sauf qu'il y a une différence entre se visualiser en train d'accomplir ce qu'on désire en général et focaliser sur tous les petits détails, les obstacles et les réactions des autres. Présentement, vous ne pensez qu'au résultat, plutôt que de goûter au chemin pour vous rendre.

— Je sais… mais ce n'est pas facile d'oublier que trois personnes vont avoir mon avenir entre leurs mains. Pis je trouve ça difficile d'être une loque humaine et de me péter la gueule chaque fois que je pratique la Bête.

— Je n'ai jamais dit que ce serait facile, mais je suis certain que vous êtes capable. Tantôt, je vous ai même sentie un peu plus détendue.

— Je suis en train de m'habituer à la douleur ! répliquai-je mélodramatique.

Monsieur Forest souriait, sans perdre son calme.

— Vous avez deux choix : soit vous maximisez ce que vous faites avec votre corps, vous le surprenez et vous le faites grandir, tout en restant à l'écoute. Soit vous vous concentrez sur ce que vous connaissez de lui et vous savourez votre confort.

Mon professeur ne l'affirmait pas clairement, mais je sentais que la deuxième option était celle que choisissaient ceux qui se contentaient de peu et qui cessaient d'évoluer pour l'éternité.

— Je ne doute pas de votre sérieux ni de votre détermination, ajouta-t-il. Par contre, si vous laissez votre tête réfléchir seulement au concours et à la musique, ça peut être « dangereux ».

Je lui ai répondu avec le regard dépité :

— Je ne pensais pas que c'était mal de trop me concentrer…

— Chaque personne est différente, rétorqua-t-il. Parfois, je pousse mes élèves pour qu'ils prennent conscience de ce qu'ils pourraient atteindre en travaillant plus fort. Vous, je dois vous guider et polir votre jeu comme un diamant : je corrige votre posture, je vous aide à dénouer les nœuds émotifs qui s'entendent dans votre musique et je fournis des conseils pour éviter que votre tête prenne le contrôle de votre corps et de vos émotions.

Je l'écoutais sans rouspéter, consciente du chemin que j'avais parcouru depuis des années à ses côtés.

— C'est quoi le truc pour que mon cerveau se taise un peu ?

— Changez-lui les idées, suggéra monsieur Forest. Si vous mettez tous vos œufs dans le même panier et que vous tombez, votre vie va se casser en mille miettes. Ça peut sembler ironique, parce que je vous demande de travailler plus qu'avant, mais quand vous n'avez pas les doigts sur votre flûte, pensez à autre chose. Amusez-vous !

J'ai tout de suite pensé à Harry, Ron, Hermione et les autres. Nos retrouvailles étaient désormais nécessaires.

Il suffisait que mon professeur me donne la « permission » de me divertir pour que je plonge dans la lecture. Au réveil, je pratiquais mes doigtés dans le vide, avant de déjeuner avec mon livre sous les yeux. Je marchais jusqu'à l'école pour m'aérer l'esprit. J'assistais à mes cours en prenant un plaisir insoupçonné pour les matières que j'étudiais à contrecœur depuis des années. Les formules de mathématiques, les règles de français et d'anglais avaient soudainement quelque chose de rassurant et de beaucoup plus prévisible que l'issue de ma performance sur les rives du Pacifique. Et même si je n'allais probablement jamais développer une passion folle pour la géographie ou la biologie, les heures que je leur consacrais me permettaient de détourner mon attention de la musique.

Je ne pensais jamais que je remercierais la vie de disséquer un œil de bœuf!

À l'heure du dîner, je mangeais en un éclair et j'enchaînais les gammes. Après les classes d'après-midi, je me dirigeais vers la maison de monsieur Forest ou vers mon ancienne école primaire. Déserté de ses jeunes élèves, l'endroit prenait pour moi des airs de sanctuaire : je m'assoyais dans un coin pour lire pendant une heure et je commençais ensuite à répéter. Il m'arrivait encore de me péter la gueule, mais j'étais un peu moins dépassée par l'effort exigé. Graduellement, mon corps trouvait de nouveaux repères. J'apprenais à savourer l'équilibre composé du travail intellectuel en classe, d'évasion dans l'univers de J.K. Rowling et d'un minimum d'activité physique. Je rêvais parfois de jouer avec mes frères pour m'éclater comme avant, mais je préférais réserver mon énergie pour la musique jusqu'au début décembre.

Et pour hurler de surprise en découvrant le punch avec Dumbledore à la fin du livre.

Oh. Mon. Dieu.

Semaine 3

Fuck l'équilibre et les bonnes intentions!

Contrairement à ce que je croyais, les efforts, la patience et la souffrance n'étaient pas toujours récompensés. Même si j'avais diversifié le contenu de mes journées et que j'étais plus en forme qu'au début, j'affrontais encore la peur de ne jamais maîtriser la foutue pièce.

Y a-tu juste moi qui me rappelle que La Belle et la Bête, *c'est rien qu'un maudit conte de fées? Dans le fond, Belle aurait mieux fait de devenir une vieille fille qui passe sa vie à lire les suites de ses romans préférés et à chanter dans les champs sans aucun juge pour faire éclater ses rêves!*

La partition m'enrageait tellement que j'avais envie de hurler et de casser ma flûte en deux, comme la créature velue du film de Disney quand on la contrariait. À la différence que moi, je n'avais aucun chandelier ni aucune horloge parlants pour me ramener sur terre. Je rencontrais monsieur Forest quatre fois par semaine et j'essayais de ne pas me plaindre constamment, afin d'écouter ses remarques et de progresser au maximum. Le reste du temps, mon esprit me menait par le bout du nez. J'avais beau lui offrir des distractions, il ne s'intéressait qu'à mes inquiétudes. Et personne ne semblait connaître le secret pour le dompter.

Surtout pas mes parents!

Une partie de moi avait cru naïvement que leur décision de m'aider pour le concours – et surtout l'humanité dont mon père avait fait preuve en expliquant à mon prof qu'il ne savait pas comment me protéger d'une déception monumentale – signifiait qu'ils allaient démontrer de l'intérêt pour ma préparation. Ou simplement pour moi en général. Mais non. Les mêmes banalités s'échangeaient. Mes parents ne savaient pas comment s'intéresser à leurs enfants. Même quand je leur faisais remarquer leur carence de curiosité :

— Pourquoi les seules questions que vous nous posez tournent presque toujours autour de nos agendas ? avais-je demandé la veille lors d'une autre discussion impersonnelle.

— Qu'est-ce que tu veux dire ? réagit ma mère sur la défensive.

Mon père continuait ce qu'il faisait de mieux à table : manger sans intervenir. J'ai poursuivi :

— Vous voulez savoir ce qu'on fait, à quelle heure on rentre, si on vient souper et avec qui on se tient, mais vous nous demandez jamais comment on va.

— C'est pas demain la veille qu'on va vous laisser faire ce que vous voulez, s'insurgea ma mère en passant complètement à côté de mon point. Tu serais la première à nous dénoncer à la DPJ si on ne s'occupait pas de vous !

— Je ne veux pas que vous vous foutiez de ce qui nous arrive ! On dirait juste que vous ne vous intéressez pas à ce qui se passe dans nos vies : comment on se sent, à quoi on rêve, nos amitiés, si ça se passe bien dans nos projets…

Une autre façon de dire qu'ils se préoccupent davantage de ce qu'on fait que de ce qu'on est.

— Ton père pis moi, on a changé d'idée pour ton petit voyage. Je ne vois pas ce que tu veux de plus !

Ma mère avait un grand talent pour cibler un seul élément dans mes propos et l'interpréter à son avantage. Une attitude que j'avais en horreur, mais que j'essayais de tolérer sans excès de colère pour éviter qu'elle change d'idée sur mon « petit voyage »…

— C'est pas çaaaa que je dis, rétorquai-je en m'inventant un sourire. Tu ne peux pas savoir à quel point je suis reconnaissante que vous m'aidiez, sauf que vous ne me demandez jamais si ma préparation va bien. Vous ne vérifiez pas si les gars sont contents de leurs compétitions. Si on est en amour. Ou si on est heureux.

Pendant une fraction de seconde, j'ai senti ma mère prise au piège.

— Moi, j'aurais jamais voulu que ma mère se mêle de ma vie privée et qu'elle veuille tout savoir. Je suis ton parent, pas ta meilleure amie.

J'avais compris depuis longtemps que la complicité des Gilmore Girls battait celle des Filles Jutras…

— Mamannn, il y a une différence entre te raconter comment j'ai vécu mon premier *french* et te dire si je suis en amour, avec qui, et comment notre relation évolue.

— Est-ce que c'est ta façon de nous dire que tu t'es fait un chum ? demanda-t-elle aussitôt.

Toujours muet, mon père a levé le regard de son assiette.

— Non ! répondis-je en me retenant de rouler les yeux au ciel. J'ai juste l'impression qu'on ne se connaît pas pour vrai.

Même moi, je ne sais pas à quoi tu rêvais avant de nous avoir, c'était quoi les moments importants de ta vie, pis des affaires de même.

Ma mère, elle, ne se retenait pas pour me regarder comme si j'étais une extraterrestre.

— Ça changerait quoi dans ta vie de savoir ça?

— J'aurais l'impression qu'on a une vraie relation et qu'on n'est pas juste des colocataires avec le même ADN qui s'obligent à souper ensemble, mais qui parlent seulement de banalités, dis-je d'un seul souffle.

— En tout cas, dit-elle, je connais plein d'ados qui aimeraient ça, eux, avoir des parents qui respectent leur discrétion.

Un dialogue de sourds. Voilà tout ce que ma mère pouvait m'offrir. Non seulement elle ne comprenait pas le quart de ce que je lui expliquais, mais elle était convaincue d'agir pour le mieux. Tout compte fait, je ne pouvais pas réellement espérer que mes parents démontrent de l'intérêt pour ma participation au concours qu'ils finançaient ni qu'ils soient attentifs à mes émotions en montagnes russes.

Néanmoins, je m'entêtais à la relancer:

— En tout cas, si tu cherches la définition du mot «discrétion» dans le dictionnaire, ça m'étonnerait que ça parle de parents qui se contentent des éléments de base avec leurs enfants…

— Lilie, dit ma mère avec une voix soudainement douce et presque chaleureuse, si tu veux nous parler, on va t'écouter.

Coudonc! As-tu appris les bases de la communication au dos d'une boîte de céréales?

— Ahhhh! C'est pas ça, la vie, maman! Je ne vais pas vous déballer tout ce qui m'arrive, si je ne sens pas que ça vous intéresse. Une vraie conversation, c'est un mélange d'écoute, de questions et de commentaires. On dirait que pour vous autres, c'est un monologue qu'on entend sans rien dire…

— T'es de mauvaise foi, ma fille.

JE suis de mauvaise foi?

— Laisse donc faire! dis-je en partant vers ma chambre.

Je ne savais pas ce qui me bouleversait le plus: que des élèves de la maternelle aient autant de talent pour discuter que mes parents, que je sois incapable de libérer mon esprit de mes angoisses ou que ma confiance déraille parce que je n'excellais pas dès que j'essayais quelque chose pour la première fois.

Maudit syndrome de la performance!

Je détestais cette réaction d'enfant qui pleure parce qu'il n'a pas tout ce qu'il veut dans la seconde. Je possédais de nombreuses capacités musicales et sportives, mais je perdais inévitablement mes moyens devant l'adversité. Je n'avais jamais appris à tomber et à me relever. Je n'étais pas une paresseuse qui se contentait de son talent brut sans fournir d'efforts. Au contraire, j'étais un bourreau de travail. Mais j'étais prête à m'investir seulement lorsque j'avais la conviction d'être l'une des meilleures. Sinon, je n'avais aucun intérêt. Comme si j'étais tétanisée à l'idée de partir de zéro, de faire mes classes, d'assumer que les autres ont plus de talent que moi et d'accepter que j'en ai pour des mois, voire des années, avant d'atteindre un haut niveau.

N'empêche, rares sont les jeunes qui endureraient la pression que je m'impose. Comme si je devais compenser quelque chose que je n'avais plus ou que je n'avais jamais eu.

La fierté de mes parents, par exemple.

L'argent qu'ils investiraient dans mon projet apaisait mon malaise, mais leur absence de curiosité à l'égard de ma préparation amplifiait mon besoin de performer.

Je suis allée chez les voisins pour combler mes carences d'affection parentale. Maude m'a proposé une tisane pour me calmer. Je lui ai tout résumé avec trop de mots, de gestes et de soupirs. Elle ne semblait pas troublée outre mesure :

— Il me semble que tu t'en fais trop vite avec ton concours. Ce n'est pas comme si tu ne t'étais pas améliorée depuis la première semaine. En plus, il paraît que ça prend vingt et un jours pour changer une habitude. Ça ne doit pas être ben différent pour apprendre quelque chose. Si rien ne se replace dans une semaine, tu viendras me voir, pis on gérera la fin du monde ensemble.

Incapable de trouver un argument pour la contredire, j'ai répliqué avec une moue de gamine. Attendrie, Maude m'a enlacée en me conseillant de rejoindre son fils à l'étage :

— Il s'ennuie depuis que tu as commencé ton *rush*, et je ne suis pas certaine qu'il va s'habituer à ton absence, même après vingt et un jours.

Son clin d'œil m'a convaincue de taire mes peurs un instant et de retrouver la plus belle source de fraîcheur que je connaissais. Malgré l'ardeur dont je faisais preuve pour finir parmi les trois meilleurs jeunes musiciens du Canada, il ne se passait pas un jour sans que je pense à mon meilleur ami. Son intensité me manquait. Personne d'autre que lui ne savait comment me divertir autant et me faire voir la vie d'un angle nouveau. Depuis le temps, Émile avait trouvé la clé pour transformer Lilie-l'adolescente-en-contrôle en Lilie-la-jeune-fille-folle avec qui il accumulait des souvenirs improbables. Le plus célèbre étant certainement l'été que nous avions passé à faire un concours d'imitations.

Officiellement le plus gros test de patience parentale de l'histoire!

Tous les classiques y étaient passés: ma réinterprétation de *My Heart Will Go On* au gala des Oscar quand Céline Dion s'était frappé la poitrine alors qu'elle portait un bijou de plusieurs millions, *Stop* des Spice Girls interprété en duo avec une parfaite maîtrise de la chorégraphie, ainsi qu'une version dramatique de la chanson *Entre l'ombre et la lumière* de Marie Carmen, gracieuseté d'Émile. Après quelques semaines, j'avais cru mériter le titre de la plus grande imitatrice de la Gaspésie en recréant tous les gestes de Mariah Carey: la main droite qui joue du piano invisible dans les airs, les yeux de biche et la démarche coincée parce qu'elle a peur que son décolleté éclate si elle fait un faux mouvement. Une performance livrée sur *All I Want For Christmas* en juillet! Malheureusement, mes prouesses ont été éclipsées par Émile et sa réappropriation des succès de *Dance Mix 95*. Il imitait à la perfection les dix-sept artistes de la compilation.

C'est à ce moment-là que son père a accepté de lui apprendre la photo… Question qu'il occupe ses temps libres de façon, disons, moins bruyante.

Quand nous étions enfants, nous ne connaissions pas les mots pour expliquer le lien qui nous unissait, mais aujourd'hui, je savais qu'Émile était aussi nécessaire à mon existence que je l'étais à la sienne.

La preuve, j'avais à peine mis le pied dans l'escalier menant à sa chambre qu'il m'interpellait :

— Arrête de te traîner les fesses, Jutras ! Ça fait mille ans qu'on ne s'est pas vus. Je m'ennnnnuie !

— Arrête de te plaindre et habille-toi ! On va s'acheter des bonbons, pis on joue au 64.

— T'étais pas censée frencher ta flûte tous les soirs pour te convaincre que t'es bonne, toi ?

Je l'aimais autant qu'il m'énervait.

— Bah, un vieux sage m'a dit un jour qu'il fallait que je fasse autre chose de mes doigts pour pas qu'ils deviennent handicapés de la vie normale.

— De brillantes paroles, dit-il en reconnaissant sa réplique.

Trente secondes plus tard, nous courions jusqu'au dépanneur pour ne pas ressentir les effets du mercure en chute. Après avoir débattu de nos choix comme si nous réglions le sort de l'humanité, nous sommes ressortis avec un butin : réglisses rouges avec des trous aux extrémités pour nous achaler en soufflant de l'air dans nos visages, sacs à surprises

pour nous plaindre de la présence prévisible d'un bébé cara-
mel tout en étant ravis du reste, jujubes aux framboises arti-
ficielles à la dimension parfaite pour un concours de lancers
dans la bouche de l'autre, et trois sortes de chocolats parce
que les scientifiques ont prouvé que chaque soirée sans cacao
retirait automatiquement une heure à l'espérance de vie.

De retour chez Émile, nous avons disputé quatre champion-
nats de *Mario Kart* en respectant les règles non écrites de
nos soirées :

- Tout faire pour assurer une défaite humiliante à l'autre ;

- Célébrer nos victoires avec exubérance ;

- Répartir le temps d'utilisation de la moins bonne
  manette pour protéger notre santé mentale ;

- Ingurgiter nos cochonneries lentement, afin d'allonger notre *rush* de sucre !

Trois heures se sont écoulées avant que les friandises nous
plongent dans un état comateux. Mon ami était écrasé au
pied de son lit.

— Tu diras à ta secrétaire de me réserver du temps la fin de
semaine prochaine, dit-il. Je veux qu'on se fasse une autre
soirée comme ça. On n'en a plus assez…

— Je ne sais pas si mon estomac me le pardonnerait !

— Pas besoin de bouffe. On pourrait regarder des films
d'horreur et préparer nos costumes pour l'Halloween.

— Tu répondras à ton adjointe qu'elle a prévu un ordre du
jour pas mal gros pour un gars qui voulait rien faire…

— Tu sais ce que je veux dire, grommela-t-il en faisant le minimum de mouvements pour s'étendre sur son lit.

— Oui, oui, Schtroumpf grognon. On fera ça.

— Viens donc te coller au lieu de dire des niaiseries.

Jamais Émile n'avait formulé une telle demande aussi clairement.

— Une chance que personne ne nous voit, affirmai-je en me couchant en petite cuillère devant lui.

— Ben là, tu le sais que ça ne veut rien dire, venant de moi…

Évoquait-il notre amitié dénuée d'attirance ou autre chose ?

Semaine 4

Le matin du fameux vingt et unième jour, je me suis réveillée en espérant avoir été dotée du gène permettant de maîtriser mes pièces en un clin d'œil. Assise dans mon lit, les
sens en éveil, je ne percevais malheureusement rien de nouveau. Sauf une odeur de crêpes au chocolat qui emplissait
l'air. Comme mon taux d'insuline s'était stabilisé depuis ma
soirée avec Émile, je ne pouvais pas refuser le repas que
ma mère préparait une fois tous les trois mois.

— Ça sent bon! dis-je en m'installant à table.

Après avoir englouti quatre bouchées, j'ai filé à mon ancienne
école primaire pour répéter tout l'avant-midi. Pour la première fois, j'ai réussi un enchaînement sans faille de la Bête!

Jésus! Marie! Joseph!

Mon interprétation était rigide et sans âme, mais le temps
allait certainement ajouter une couche de fluidité. J'avais
enfin l'impression de pouvoir dompter cette satanée pièce!

J'ignorais si un déclic s'était produit au terme des vingt et un jours ou si ma mère avait utilisé un ingrédient magique dans ses crêpes. Peu importe, je regoûtais enfin au plaisir de la musique.

Lors de ma tentative suivante, j'ai fait une erreur dans un passage qui ne m'avait jamais posé problème. À ma grande surprise, je ne me suis pas tapée sur la tête. Une brèche d'espoir s'était faufilée dans mon armure de peurs. J'allais probablement faire des allers-retours entre la maîtrise et la maladresse pendant des jours, mais je refusais d'entacher ma nouvelle confiance. Je préférais me laisser porter par un nouvel élan d'allégresse.

Dehors, je me suis mise à gambader dans la cour d'école sur quelques mètres, jusqu'à ce qu'une couche de glace cachée sous la neige de fin octobre m'envoie valser dans les airs.

BOOM!

Premier réflexe : vérifier l'état de ma flûte, toujours intacte, heureusement. En me relevant, j'ai vu le papa d'Émile courir vers moi depuis sa maison.

— Rien de cassé, ma chouette ?

— Tout va bien. J'avais juste un peu la tête en l'air.

— Bon. Alors, comment ça avance, la préparation à ton concours ? Maude m'a dit que ça te préoccupait pas mal.

J'étais émue de savoir que les parents de mon meilleur ami discutaient de mon sort.

— Mieux ! Je suis passée à un cheveu de prendre ma retraite de la flûte, il y a quelques jours, sauf que je viens juste de défaire un nœud dans une de mes deux pièces. Ça s'annonce bien.

— Si tu veux te pratiquer devant un public avant le concours, tu peux venir à la maison, suggéra-t-il. Ça va nous faire plaisir de n'avoir aucun regard critique et de t'applaudir comme des perdus !

Awwww.

— C'est gentil de le proposer, mais je n'aime pas qu'on m'entende répéter.

Au grand dam d'Émile, qui me suppliait depuis des années de le laisser assister à mes pratiques.

— C'est toi qui décides, dit-il avec le même regard taquin que son fils. Sauf que si tu nous visites la veille de ton départ, ce ne sera plus vraiment une répétition… Tu vas être prête.

— Bien essayé, répondis-je en rougissant. Si je faisais ça, ce qui entre toi et moi n'arrivera jaaaa-mais, tu ne seras même pas là pour en profiter. Tu reviens après mon départ pour Vancouver.

Dans soixante-douze heures, Paul partirait pour un mois en Islande. Fort du succès de ses livres de photos artistico-touristiques sur la Gaspésie, le Nouveau-Brunswick, l'île de la Réunion et le sud de la Californie, il répéterait l'expérience avec la petite île au nord-ouest du continent européen. Lorsqu'il avait entendu dire que la destination gagnerait en popularité au cours des prochaines années, il avait flairé la bonne affaire. Et il n'allait certainement pas refuser quatre semaines de solitude.

— T'as ben trop raison! J'espère juste que tu vas venir me raconter comment ça s'est passé après nos voyages.

— Promis! répondis-je en souriant. Avant que tu partes, j'ai un conseil à te demander. J'aimerais ça savoir comment tu faisais pour ne plus refaire les mêmes erreurs, quand tu comprenais un truc en photo. Tsé, pour éviter de régresser?

Les pensées semblaient se bousculer dans son esprit.

— J'étais un peu trop superstitieux, quand j'avais ton âge… Chaque fois que je maîtrisais une technique sur laquelle je piochais depuis des jours ou des semaines, j'analysais ce qui s'était passé cette journée-là pour tout refaire de la même façon plus tard: l'heure à laquelle je m'étais levé, l'ordre dans lequel j'avais sorti mon matériel dans la chambre noire, les chansons que j'écoutais pendant que je développais mes négatifs. J'essayais d'avoir le plus de contrôle sur mon environnement pour me sécuriser. Comme Émile quand il avait peur, plus jeune…

— Et moi, ces temps-ci, avouai-je avec gêne.

Les vieux comportements de Paul me donnaient l'impression d'être sa fille illégitime.

— Qu'est-ce que tu essaies de contrôler, Lilie?

— Ben, je sais pas… Le nombre d'heures que je consacre à tout. Je m'empêche souvent de niaiser avec Émile, parce que je veux garder mon énergie pour les répétitions.

— Est-ce que ça fonctionne ?

Il avait posé la question avec sa voix calme qui me rassurait dès que je l'entendais.

— Oui et non. Je sais que je dois donner un grand coup jusqu'en décembre, parce que c'est vraiment important, mais je m'ennuie de lui. Et nos soirées me font tellement de bien !

— Joues-tu mieux ensuite ?

— Souvent, sauf que…, dis-je sans oser poursuivre.

— Ça ne veut pas dire que tu peux te le permettre autant qu'avant. Je comprends. Il faut juste que tu t'écoutes.

: :

Après une longue pratique, le dimanche matin, je me suis tapé deux heures de mathématiques d'une lourdeur olympique. Mon cerveau envisageait de demander un statut de réfugié à quiconque exigerait moins de lui. Je croulais sous le poids de ma fatigue mentale, mais une part de moi désirait replonger dans la musique plus que tout. J'avais progressé de manière éblouissante au cours des derniers jours et je m'endormais tous les soirs en ayant hâte de recommencer. La preuve, en cette fin d'après-midi, j'ai préféré jouer de la flûte plutôt que de respecter ma parole envers Émile : je lui avais promis une soirée cinéma et costumes d'Halloween. La gêne qui m'habitait était si grande que je n'ai pas eu le courage de lui annoncer moi-même. J'ai appelé chez lui, après l'avoir vu sortir. La *mamma* m'a répondu.

— Je sais que je suis la plus horrible personne du monde et qu'il va me bouder pendant mille ans, mais peux-tu dire à Émile que je ne pourrai pas venir ce soir ?

Bref silence au bout du fil.

— Je ne suis pas super à l'aise avec la position dans laquelle tu me places, cocotte, répondit Maude en multipliant mon sentiment de culpabilité par trois milliards. Émile va être super déçu, et c'est moi qui lui avais suggéré de t'inviter à l'avance, pour être sûre que tu trouves du temps dans ton horaire.

— Je sais…, dis-je la mort dans l'âme.

— En plus, il va se refermer sur lui-même toute la soirée, ajouta-t-elle.

J'ai poussé un long soupir d'impuissance.

— Je te promets que c'est la dernière fois que je te demande un truc pareil, ajoutai-je.

— D'accord. Mais prépare-toi à recoller les pots cassés.

Étant née avec un détecteur à émotions doublement sensible lorsqu'il était question d'Émile, j'ai passé ma répétition à me concentrer davantage sur sa déception que sur mon jeu. Les mètres qui séparaient mon local de répétition et sa maison n'empêchaient pas sa frustration de se rendre jusqu'à moi. J'imaginais (je percevais) le coup de poing au ventre qu'il avait ressenti, quand sa mère lui avait appris que sa meilleure amie presque toujours absente depuis un mois décommandait la soirée prévue. Je voyais (je goûtais) la tristesse dans ses gestes, quand il plongeait son attention désintéressée dans le coffre de costumes. J'entendais les paroles qu'il retiendrait dans sa tête en me revoyant (« lâcheuse », « fausse meilleure amie », « gâcheuse d'Halloween », « loyauté à deux vitesses »), même s'il ne manquerait pas de me faire la gueule.

Néanmoins, mes instincts me chuchotaient que mon choix n'était pas entièrement répréhensible. Après une vingtaine de journées plus ou moins satisfaisantes, je ressentais finalement un peu de fierté. Et pour que ce sentiment prenne de l'ampleur, je devais suivre le filon en évitant les distractions. Il m'apparaissait évident que je ne réaliserais jamais mes rêves en musique si je n'étais pas prête à y investir tout mon être.

Alors que monsieur Forest me voyait dans un grand orchestre, j'espérais plutôt une carrière de soliste et parcourir le monde en offrant des récitals en solo et avec des ensembles classiques. Pour atteindre cet objectif, je devais me priver d'Émile par moments, composer avec la culpabilité et tenter de regagner sa faveur le plus rapidement possible.

Quitte à me réveiller trente minutes plus tôt, le lendemain matin, pour m'excuser. Je montais jusqu'à sa fenêtre, lorsque Maude est apparue :

— Il est déjà parti pour l'école.

Je suis redescenduc de l'échelle plus lentement qu'à l'habitude pour ne pas glisser et trouver quoi dire…

— Est-ce qu'il a mis un costume ?

— Non. Hier, il a passé la soirée à lire au salon, sans dire un mot.

— Il va me détester longtemps, tu penses ?

— Laisse-lui de l'espace pour qu'il digère et il va revenir quand il sera prêt.

Moi pis mes maudites ambitions !

Comme il fallait s'y attendre, à partir du moment où j'ai atteint une forme de constance technique, monsieur Forest m'a lancé un nouveau défi. Un truc en lien avec un vieil exercice. Quand j'apprenais une partition par cœur, il me demandait de fredonner les notes, même si je devais ralentir le rythme afin de prononcer tout ce que mes doigts exécutaient avec rapidité.

— Je veux que tout soit clair dans votre tête, m'avait-il expliqué la première fois.

— Vous êtes certain que ce n'est pas plutôt une façon de vérifier si j'apprends vraiment mes pièces ? avais-je rétorqué pince-sans-rire pour masquer mon malaise à l'idée de chanter.

À l'époque, nous nous connaissions depuis moins d'un an, mais je savais déjà que les élèves qui osaient lui répondre et rigoler de la sorte étaient rares.

— Je pense que vous êtes assez exigeante envers vous-même pour ne rien faire à moitié, répondit-il. Et ça s'entendrait si vous étiez perdue.

Deux ans plus tard, il m'avait dévoilé l'objectif caché de son exercice :

— Lorsque vous chantez, ça vous reconnecte à vos émotions. Votre voix ouvre quelque chose en vous. Comme si elle dégageait la rigidité qui s'installe à force de pratiquer la structure de la musique.

À l'aube de mes quinze ans, il continuait de croire que le chant pouvait m'aider.

— Est-ce que je suis obligée de chanter les deux partitions du concours ou juste la Bête ?

Monsieur Forest m'a regardée avec un air amusé.

— Mieux que ça ! On va laisser tomber vos pièces aujourd'hui.

Je l'observais incrédule.

— Je veux que vous fredonniez une chanson, reprit-il. N'importe laquelle. Quelque chose avec des paroles qui n'a rien à voir avec le classique.

— Pour vrai ? répliquai-je en regrettant d'avoir rouspété.

— Oui, oui ! Faites-la jouer sur votre iPod et chantez en même temps. Ça va vous sortir de vos habitudes.

Après avoir repoussé la honte de deux minutes en fouillant dans mon lecteur mp3, j'ai sélectionné le premier album d'Ariane Moffatt et sa chanson la plus apaisante, *Dans un océan*. J'ai ensuite fermé les yeux pour chanter.

> *En p'tite boule dans les bulles*
> *Mes jours ont le goût du savon*
> *Qui glisse le long de ma clavicule*
> *Je dialogue avec une goutte*
> *Qui se détache de son tuyau*
> *La vapeur endort mon ego*
> *J'mets mes branchies et je m'enfouis*
>
> *Sous l'eau, c'est tellement moins pesant*
> *Je rince tout ce que j'ai en dedans*
> *Sous l'eau, c'est fou comme j'me détends*
> *Je rêve de vivre dans un océan*

En p'tit bonhomme dans le bain
En p'tite boule dans les bulles
Mon corps un mauvais comédien
Et imbibé de solitude

Pourtant mon imagination déborde
Mais mon cœur est toujours en désordre
Je divague dans mes poissonneries
J'mets mes branchies et je m'enfouis

Mais ma vie ne sait pas nager
Ma vie ne sait pas nager
J'ai pas d'moteur, pas de flotteur
Pas d'ceinture de sécurité
Ma vie ne sait pas nager
Non ma vie ne sait pas nager
Ma vie ne sait pas nager
Je rame, je pédale et je chavire
J' fais tout c'que j'peux
Pour ne pas couler

Ces quelques vers illustraient parfaitement ce qui m'habitait quand j'étais dépassée par mes émotions.

J'avais peur de me noyer par en dedans...

Étonnamment, je m'étais laissée aller sans réfléchir. Chaque phrase m'avait détendue, presque soulagée.

— C'était magnifique, dit monsieur Forest. Dans les prochains jours, essayez de vous rappeler ce que vous venez de goûter. Parce que c'est ça qui va faire la différence à Vancouver. Tout le monde peut avoir une technique parfaite, parce que tout le monde peut travailler. Mais rares sont ceux qui trouvent le chemin pour nous faire sentir à quel point la musique les élève.

Sa vision des musiciens purement techniques me rappelait mon attitude au secondaire : je passais à travers chaque jour en mode automatique. La polyvalente était pour moi un endroit où je me rendais pour obtenir des notes respectables, afin d'être admise au cégep et de quitter la Gaspésie. Cette attitude me faisait évidemment plafonner dans la plupart des matières.

Mon cœur est ailleurs...

J'aurais probablement été plus motivée si mon école avait eu un groupe de concentration musique : des élèves qui faisaient moins de maths, de français, d'anglais et de sciences, pour se consacrer davantage à leur passion. Malheureusement, la Commission scolaire des Monts-et-Marées ne pouvait considérer un tel projet, faute de moyens pour acheter assez d'instruments. Avec le temps, je m'étais résignée à la situation. J'entrais à l'école et j'en sortais sans enthousiasme, comme un employé d'usine *punchait in* et *punchait out* jusqu'à la retraite. L'école n'occupait pas beaucoup d'espace dans mes pensées.

Sauf quand Alexis-j'ai-juste-besoin-de-respirer-pour-être-charmant-Séguin soutenait mon regard dans les couloirs. Depuis que je lui avais expliqué que je ne pouvais pas lui accorder du temps, il avait battu en retraite, sans pour autant déposer les armes. Chaque fois qu'il m'apercevait, un éclat dans ses yeux semblait dire « je te trouve encore plus de mon goût qu'hier et il n'est pas arrivé le jour où je vais me tanner de te regarder ».

Ouf!

Je me suis retenue de faire une blague sur ses tactiques de tombeur, pour ne pas l'encourager à retenter sa chance. J'avais trop peur qu'il me fasse douter de mes priorités et qu'il me donne envie de délaisser la musique pour le *dater* (comprendre ici : finir en couple avec lui, ne plus avoir d'avenir musical et me rabattre sur notre relation pour me désennuyer, jusqu'à ce qu'il se tanne de moi…).

Dommage qu'il n'ait pas choisi l'après-Vancouver pour revenir me parler :

— Comment va ton travail pour ton concours ?

Il venait de dépasser trois personnes dans la file de la cafétéria pour me rejoindre.

— C'est intense ! répondis-je en fixant mon plateau. Si tu voyais ce qui me passe par la tête depuis que j'ai commencé, tu me trouverais folle.

— Penses-tu seulement à la musique ? demanda-t-il avec un sourire qui voulait tout dire.

— Eee, ben… je… probablement presque, balbutiai-je en perdant ENCORE mes moyens en sa présence. Comme je t'avais dit, c'est un coup à donner.

— Je comprends ça. Moi aussi, ça m'arrive de me couper de tout pour me concentrer sur un but précis.

— Ah oui ? Genre quoi ?

— Tu le sauras quand tu auras le temps de me connaître pour vrai, Lilie Jutras.

Avec son sourire de pub de dentifrice, il s'est éloigné en faisant une révérence digne du Moyen-Âge.

Tout pour que je me désintègre de l'intérieur...

Après les classes, j'ai cherché Émile dans les corridors pour tout lui raconter, mais sans succès. À quelques pas de chez lui, j'ai remarqué que l'échelle menant à sa chambre n'y était plus. Elle avait dû être rangée dans la remise, comme ses parents le faisaient chaque année en novembre, parce que la température rendait son utilisation plus risquée.

Bon timing *pour un gars qui boude...*

Semaine 6

Au lieu de m'en faire avec mon meilleur ami, j'ai laissé les choses aller et je me suis concentrée sur ce qui allait bien : la musique. Loin de moi l'idée de tenir Émile pour acquis, mais notre relation me semblait assez solide pour résister à une petite tempête. Et ce que je vivais actuellement était trop enivrant pour délaisser mon objectif.

Pour la première fois depuis le début de ma préparation, je comprenais enfin ce que monsieur Forest voulait dire quand il me suggérait de me concentrer sur le chemin, et non sur les résultats. Je savais où je m'en allais et j'arrivais désormais à me concentrer sur le simple bonheur de répéter. Je maîtrisais mes pièces, je faisais preuve d'un lâcher-prise grandissant et, contrairement à tant de gens, j'avais une raison de me réveiller chaque matin ! Chaque fois que je me retrouvais avec ma flûte entre les mains, j'avais le sentiment d'occuper la place qui me revenait dans le monde et d'être en parfaite harmonie avec qui je suis, peu importe ce qui se déroulait autour de moi.

Je ne voyais pas mon investissement en musique comme un sacrifice, mais comme un choix. J'avais choisi de consacrer trente heures par semaine à ma préparation, de me coucher tôt, de préserver mon énergie pour les répétitions, de ne pas suivre toutes les séries télé et d'avoir une vie sociale limitée. Pour l'instant, je préférais me concentrer sur la musique. Et la vie me donnait raison. Je jouais mieux que jamais et mon nouveau laisser-aller était sur le point d'être récompensé : Émile m'attendait, adossé contre le mur de l'école.

— Ça fait combien de temps que tu es là ? demandai-je en voyant ses joues rouges.

— Je sais pas, trente minutes… répondit-il en grelottant. Je voulais être sûr de ne pas te manquer. Je suis vraiment tanné de te bouder… Est-ce que je peux te voler une petite heure ?

Incapable de résister à ses yeux piteux, je lui ai donné un long câlin jusqu'à ce qu'il cesse de trembler.

— Je peux même te consacrer deux heures, si t'es gentil.

— Oh mon Dieu ! Ça veut dire que tu as fini de snober tout ce qui ne ressemble pas à un tuyau de métal avec des trous qui produit des sons ?

Il avait une telle façon de m'exprimer qu'il s'ennuyait.

— Dis pas de mal de ma flûte ! rétorquai-je faussement cho-quée. Il me reste encore deux semaines à pratiquer intensé-ment, et après les choses vont redevenir normales.

— Ouin, mais qu'est-ce qui dit que t'auras pas une compétition comme ça tous les trois mois ? Peut-être que tu ne pourras jamais redevenir un être humain comme les autres !

Émile soulevait un point auquel je n'avais jamais pensé : un succès à Vancouver pourrait ouvrir la voie à d'autres événements importants qui nécessiteraient la même discipline… Même si je pouvais imaginer faire de cette intensité musicale un mode de vie, je devais admettre que je n'arrivais toujours pas à gérer ma vie amicale convenablement. Sans parler de la sphère amoureuse qui me titillait plus que jamais.

— J'en sais rien, Mile, répondis-je sans développer. Raconte-moi donc ce qui t'arrive au lieu de prévoir l'avenir.

— Ben, pendant que tu faisais comme si je n'existais pas…

Je l'ai interrompu en lui donnant une légère tape sur le torse.

— Arrête de me dire ça ! Je le sais que je te néglige, mais je pensais que tu étais assez mature pour comprendre pourquoi je travaille aussi fort.

— Comme je le mentionnais…, relança-t-il avec un sourire satisfait, pendant que tu te consacrais à la musique comme une religieuse offre sa vie à Dieu… j'ai eu envie de faire un projet spécial, moi aussi.

— Oh ! Cool. C'est quoi ton concept ?

J'étais ravie qu'il ait lui aussi une source de motivation pour se réveiller le matin. Et soulagée qu'il ne soit plus sur mon cas…

— Je veux faire une série de photos avec un style que mon père ne m'a pas enseigné. Quelque chose que j'ai découvert sur Internet. J'aimerais ça lui montrer quand il va revenir d'Islande.

— Vous parlez-vous beaucoup depuis qu'il est parti?

Rien du non-verbal de mon meilleur ami ne laissait voir le léger trouble que je sentais en lui.

— Pas vraiment non, dit-il. On a *chatté* une fois et essayé de jaser avec nos webcams, mais le signal était mauvais dans son hôtel. *Anyway,* il est toujours dans sa bulle pendant ses voyages de photos. On dirait qu'il a besoin de se déconnecter de tout pour se brancher sur son sujet.

— Ta mère dit toujours qu'elle vit bien avec ça. Penses-tu que c'est vrai?

Je prenais un chemin indirect pour avoir son point de vue sur l'attitude de Paul.

— Ça dépend des jours. Je pense que ça la dérange un peu de voir qu'il ne m'écrit pas souvent, mais on dirait qu'elle est rendue habituée, elle…

Des points de suspension qui en disaient long.

— Toi, est-ce que ça te dérange?

Émile a choisi ce moment pour marcher vers nos maisons.

— Il est difficile à suivre, répondit-il après un bref silence. Quand on est ensemble, je n'ai jamais l'impression de le déranger. Des fois, on dirait qu'on partage un seul cerveau. On capote sur les mêmes affaires quand on fait de la photo. Et ma mère répète sans arrêt qu'on a un tempérament similaire. Mais quand il sort de Matane ou quand il s'enferme dans sa chambre noire, c'est comme si on n'existait plus. Je ne sais pas encore si ça m'enrage ou si je le comprends... Je pense qu'il a besoin de se concentrer à cent cinquante pour cent sur ce qu'il vit. Fac, quand je suis avec lui, on fait de la photo, il m'enseigne, on jase pis on relaxe. Dans ce temps-là, je suis la huitième merveille du monde! Mais présentement, c'est comme s'il nous avait oubliés...

Mon cœur s'est serré d'un coup. Je m'en voulais de ne pas avoir plus de temps pour le soutenir ou lui changer les idées.

— Pis moi, pendant ce temps-là, je te néglige comme une conne...

— T'es pas conne! répliqua Émile. Tu le sais que je ne t'en veux pas vraiment. Ben, je veux dire, je vais probablement te remettre sur le nez pour les dix prochaines années que tu m'as choké à l'Halloween, mais sinon... tu m'inspires. Je trouve ça beau de voir que tu crois en quelque chose. Ça me donne envie d'être aussi motivé pour m'améliorer.

Émile avait toujours été doué pour faire fondre mon petit cœur.

— T'es *cute,* chuchotai-je en réalisant que je sentais de moins en moins mes pieds. Là, il me reste genre une heure quarante-cinq avant de faire mes devoirs. Tu voulais faire quoi?

— On pourrait jouer à Mario Kart avec tes frères. Ça fait longtemps que je n'ai pas humilié les trois Jutras en même temps!

— T'es tellement con! rétorquai-je en éclatant de rire.

Con et irremplaçable.

Semaine 7

Émile occupait une place si précieuse dans ma vie que je suis retournée chez lui, moins de deux jours après notre soirée. Je n'y pouvais rien. Peu après cinq heures du matin, je m'étais réveillée recouverte de sueur. J'ai pensé que la grippe m'attaquait au pire moment, comme si la vie m'informait que ça ne valait plus la peine de m'astreindre à un régime de vie militaire, parce que je n'y arriverais pas de toute façon. Pourtant, je n'avais pas d'autre symptôme qu'une grosse fièvre. Quelque chose d'autre clochait. Mon état d'esprit, par exemple. Plus le départ approchait, plus ma confiance se fragilisait. Après des semaines à surmonter les obstacles, j'avais pourtant cru que je profiterais d'un élan jusqu'à Vancouver.

Oh que non !

Chaque seconde était une nouvelle occasion d'imaginer le pire, de me convaincre que je ne serai pas prête et de me rappeler que les faux espoirs étaient l'une des pires expériences du monde. Je roulais dans mon lit, j'enfouissais ma tête sous les oreillers, je cherchais mon air et je craignais LA chose que j'avais évitée depuis des semaines : une crise de panique. Par réflexe, j'ai voulu me calmer en visitant mes voisins, mais la noirceur m'a rappelé qu'il était trop tôt. Ne voulant ni retourner dans ma chambre ni croiser l'absence d'empathie de mon père, qui se réveillerait d'ici peu, je suis allée marcher sur la plage en espérant que le vent apaise un peu mes angoisses.

Lorsque le soleil est sorti de son sommeil, je me suis dirigée vers la maison Leclair. Dix secondes après avoir cogné, j'ai entendu Maude crier à Émile d'aller répondre. Ma gêne s'est décuplée en apercevant Émile dans la splendeur du petit matin : boxeur bleu marine et blanc, cheveux en chamaille, yeux fatigués et petit sourire craquant.

Ben voyons! Depuis quand t'utilises c't'adjectif-là pour parler de lui?

J'avais vu mon ami en sous-vêtements des centaines de fois. Mais aujourd'hui, mon regard fournissait des efforts pour ne pas analyser ses bébés pectoraux, ses clavicules et... le galbe de son boxeur. Jamais mes hormones n'avaient réagi de la sorte. J'en ai presque oublié pourquoi j'étais venue.

— Allô, dit Émile en bâillant. T'es donc ben de bonne heure...

— Hein? Qu... quoi? balbutiai-je en tentant de me ressaisir. Il est tôt? Je veux dire, est-ce qu'il est trop tôt? C'est comme une urgence.

— Moi, je dis que si tu saignes de nulle part pis que y a personne de mort dans un rayon de cinq cents mètres, c'est une urgence qui peut se régler autour d'un bol de céréales. Tu veux des Frosted Flakes, des Muslix ou des All Bran?

Son effronterie et sa désinvolture me faisaient déjà du bien.

— Des All Bran, répondis-je. Avec des fruits pour pas que ça goûte le beige.

La *mamma* est sortie de sa chambre.

— Peux-tu m'en préparer un aussi, trésor? dit-elle en se frottant les yeux.

— En tout cas, que j'en vois pas une se plaindre de l'exploitation de la femme, ici, répliqua-t-il en riant de sa propre remarque.

Sans commentaire...

Une fois attablé, Émile a usé de sa délicatesse matinale pour me faire parler :

— Raconte-nous donc pourquoi tu nous as réveillés. Après ça, on jugera si on te charge des frais de consultation ou si on t'offre un forfait de plusieurs visites.

Son ton me laissait entendre qu'il serait sincèrement à l'écoute, mais qu'il ne manquerait pas de me ramener sur terre au besoin. J'ai commencé par lui répondre avec un soupir :

— On dirait que mon cerveau vient juste de comprendre que je vais me battre avec les meilleurs jeunes musiciens au Canada... au Canada ! Je veux ben croire que je suis la meilleure flûtiste de mon âge en région et que j'ai gagné quelques concours provinciaux, mais là, c'est plus pantoute la même *game* ! Ça va être la crème de la crème ! Pis on ne sera pas séparés par instrument. Ils vont tous nous comparer... comme si mes défis à la flûte ressemblaient à ceux d'un joueur de percussions, de hautbois ou de saxophone ! Tant qu'à faire, ils ont juste à inviter les joueurs de güiro et à nous dire que c'est la même affaire ! En plus, je vais devoir me battre contre des jeunes entre quatorze et dix-huit ans ! C'est n'importe quoi ! On s'améliore tellement chaque année qu'on devient quasiment un autre musicien ! Imagine quelqu'un avec trois ans d'expérience de plus. C'est injuste !

Après mon monologue, Émile a levé l'index pour me dire d'attendre. Il est allé dans la cuisine et il est revenu pour ajouter des mini guimauves dans mon bol.

— J'ai toujours pensé que la vie était plus confortable avec des guimauves, lança-t-il en avalant le fond du sac d'un coup. Mais là, juste pour être certain de bien comprendre, le güiro, c'est-tu le poisson en bois qu'on grattait avec un bâton pendant cinq secondes avant de se tanner, au primaire ?

La *mamma* a levé les yeux au ciel.

— Quoiii ? s'exclama-t-il en voyant mon air découragé. J'essaye juste de détendre l'atmosphère ! Vous êtes donc ben pas ouvertes à mon sens de la psychologie.

— Tu viens d'apprendre les critères du concours ? me demanda Maude.

Enfin quelqu'un qui prenait mon désarroi au sérieux.

— Non, même pas, répondis-je. Je suis au courant depuis le début, mais c'est comme si ça venait de me sauter en pleine face ! Je devais être trop préoccupée par l'argent ou par ma pièce trop *tough*. Ou j'étais juste une niaiseuse inconsciente !

— Tu m'as dit l'autre jour que tu la torchais maintenant, la Bête ! lança Émile.

— Oui, mais…

— Ben arrête de capoter ! répliqua-t-il. Ton prof est sur le point d'appeler la ville pour qu'on érige une statue avec ta face, tellement il te trouve bonne. T'as surmonté le défi qu'il t'a lancé dans les pattes. Et l'autre pièce est là pour que tu montres ce que t'as dans les tripes quand le niveau technique est moins fou. Pis ça, tu ne le réussiras jamais si tu stresses pendant deux semaines et que t'arrives coincée devant les juges.

Bons points.

— De toute façon, le jury va être composé de gens d'expérience, ajouta la *mamma*. Ils sont là pour juger votre talent et votre potentiel en fonction de votre âge. Ça m'étonnerait qu'ils exigent que tu sois meilleure que les jeunes de dix-sept ou dix-huit ans. Ils veulent seulement voir ce que tu pourrais devenir un jour en évaluant ce que tu as dans le ventre présentement.

Leurs arguments calmaient environ un pour cent de mon anxiété.

— Seulement ça…, dis-je en ne trouvant rien pour les contredire. Je le sais que je n'aide pas mon cas en angoissant, mais c'est difficile de ne pas badtriper ! Tantôt, je me suis réveillée en sueur. J'étais sûre que j'allais faire une crise de panique !

Émile, Maude, Paul et monsieur Forest étaient les seuls à savoir ce qui m'arrivait quand je perdais le contrôle…

— Rendue où t'es dans le processus, tu devrais ajouter de la détente à ton horaire, suggéra la *mamma*. Continue de pratiquer tous les jours pour rester allumée, mais donne-toi aussi le droit de relaxer et de t'amuser. Vois ça comme une partie de ta préparation au lieu d'une perte de temps.

Pas fou.

— Et si tu pètes encore ta coche cette semaine, tu reviendras dire bonjour à notre haleine matinale, décocha Émile avec plein d'affection mal exprimée. Ça nous fait toujours plaisir ! Pis si tu stresses au point de virer folle, tu me donneras ton billet d'avion pour éviter que Su' pis Ghis' pensent qu'ils ont dépensé pour rien !

— T'es tellement niaiseux ! rétorquai-je en rigolant. Je pense que ça va aller.

Un déclic intérieur s'était produit. Leur présence, leur écoute et leurs conseils avaient dissipé le brouillard de mon esprit. Je respirais mieux. Mais tout n'était pas réglé. Une part de moi anticipait toujours la suite des événements. Comme si une pièce du puzzle de ma confiance manquait toujours. Un morceau qui ressemblait sans surprise au manque de soutien de mes parents. Ma logique comprenait que leur appui financier était un symbole aussi surprenant que significatif de leur part, sauf que j'espérais toujours plus : une parole gentille, un intérêt pour ce qui m'arrivait ou l'impression qu'ils croyaient en mon potentiel. Même si j'avais tout l'amour du monde avec ma famille d'accueil, je ressentirais un manque tant et aussi longtemps que ceux avec qui je partageais mon ADN ne me feraient pas sentir qu'ils avaient mon bonheur à cœur.

— Ben quoi ? relança Émile. Depuis le temps que je rêve de prendre l'avion !

— Aye, parle-moi pas de ça ! m'insurgeai-je. Ça fait beaucoup trop d'inconnu à gérer en même temps. Je pense que je vais faire du déni et visualiser que je me rends à Vancouver en autobus.

La *mamma* a éclaté de son rire franc.

— Crois-moi, tu ne veux surtout pas traverser le Canada en bus la semaine prochaine, répondit celle qui avait vécu l'expérience avec Paul au début de leur relation. C'est un trip inoubliable, mais tu aurais beaucoup trop de temps pour angoisser. Et t'arriverais là-bas épuisée!

Je me suis immédiatement tournée vers Émile avec un sourire de compétition.

— Il faut tellement qu'on fasse ça, un jour! dis-je surexcitée.

Mon meilleur ami partageait déjà mon enthousiasme:

— Tellement! En plus, il paraît que les voyages testent la solidité des amitiés et des couples. On va enfin savoir si on est des vrais amis ou une grosse fraude depuis dix ans!

La *mamma* est intervenue en lui ébouriffant les cheveux.

— Bon, dit-elle, je pense que t'as atteint ton quota de niaiseries pour la journée. Pis tu ferais mieux de te dépêcher pour ne pas être en retard à la récup'.

Mon regard chargé d'incompréhension a croisé celui d'Émile.

— De quoi vous parlez?

— Bah, rien…, formula mon ami en filant vers sa chambre. Je suis juste obligé de faire de la récupération en mathématiques depuis deux, trois semaines.

Je savais qu'il était lunatique et peu dévoué à ses études, mais je n'avais jamais eu vent de difficultés majeures.

— Pourquoi je ne suis pas au courant? dis-je en le regardant se brosser les dents.

— On 'yait 'amais, grommela-t-il la bouche pleine de dentifrice.

— Ben là, c'est pas une raison pour me cacher ce qui t'arrive. Y as-tu d'autres choses de même ?

Il a pointé sa bouche incapable de répondre.

— Émile ! repris-je en le suivant dans sa chambre. Qu'est-ce qui se passe ?

— Rien ! répondit-il légèrement irrité. Baisse le ton. J'ai réussi à rester vague avec ma mère. J'aimerais que ça reste de même.

J'ai fait comme si je zippais une fermeture éclair sur mes lèvres, consciente qu'il se confiait toujours plus à son père et à moi qu'à sa mère. Je n'avais jamais trop compris pour quelles raisons d'ailleurs, moi qui trouvais tant de réconfort auprès de Maude.

— J'ai juste de la misère à me concentrer en maths cette année, révéla-t-il. Y a quatre filles vraiment connes qui m'achalent tout le temps…

— Qui ça ? Qu'est-ce qu'elles disent ? Le prof ne fait rien ?

— Il ne s'en rend même pas compte. Pis elles s'arrangent pour que je sois le seul à les entendre. Elles suivent les cours à moitié, pis elles s'en foutent. *Anyway,* c'est écrit dans le ciel qu'elles ne feront rien de leur vie.

— Quelles filles ? Pis elles t'écœurent sur quoi ?

— C'est pas important. Il faut que je m'habille là. Pis tu devrais faire pareil…

Derrière la porte, je percevais quelque chose de profondément désagréable. Comme si pendant une fraction de seconde, j'avais senti toute la fragilité du monde se déployer dans le cœur de mon meilleur ami.

::

Lorsque Maude m'avait conseillé d'ajouter la détente à mon entraînement musical, j'avais tout de suite pensé à mon frère Jonathan. Je ne le dirais jamais à voix haute, mais il était assurément le Jutras que je préférais. Surtout lorsque nous délaissions nos vieilles habitudes de frère et sœur :

- Se chamailler pour des futilités et mettre la faute sur l'autre ;

- S'humilier dès que nous en avions l'occasion ;

- Se donner des surnoms ignobles (je n'avais toujours pas digéré qu'il m'appelle la « Sorcière blanche », en référence à la méchante des *Chroniques de Narnia*, pour évoquer mon adoration des pouvoirs magiques et la froide distance que j'imposais autour de moi pour cacher ce que je vivais. Depuis, je me vengeais en rappelant aussi souvent que possible à ses coéquipiers qu'il était le meilleur représentant de notre famille sur une patinoire, parce que je lui avais laissé le champ libre).

Le reste du temps, je considérais Jonathan comme un « pas pire grand frère ». Nous partagions la même vision de nos géniteurs et il avait une façon unique de me divertir en faisant le pitre. Je savais qu'un lien plus fort l'unissait à Jérémie : ils étaient deux garçons et ils consacraient le plus clair de leur temps hors de l'école à pratiquer tous les sports de la terre. Mais contrairement à plusieurs garçons de notre voisinage, Jo n'avait jamais eu honte d'inviter sa sœur à jouer avec ses amis. Derrière les idioties qu'il faisait pour m'exaspérer, il me vouait une forme de respect.

J'en ai eu une autre preuve cet après-midi. Après des heures à jouer au football dans la neige, il m'a demandé conseil à propos de sa relation avec sa copine Sarah-Maude.

— J'ai besoin de ton aide pour trouver son cadeau de Noël!

— Ben là, c'est quoi le *rush*? T'as encore un mois pour y penser.

— Tu comprends pas! Sarah et moi, on s'est mis au défi de s'offrir quelque chose qu'on n'a pas acheté et qui surprend l'autre. Elle va avoir mille idées super *cute* et je vais avoir l'air d'un gros con. Tu sais à quel point je suis poche dans ces affaires-là…

Les images apparues dans ma tête m'ont fait rire grassement. Jonathan avait un don pour se mettre les pieds dans les plats. En deuxième année du primaire, lorsque son professeur avait demandé aux élèves de confectionner une carte pour la fête des Mères en écrivant les qualités de leur maman, Jo avait écrit qu'elle sentait bon, qu'elle faisait le meilleur pudding chômeur du monde, qu'elle était vraiment bonne sur le ménage et qu'il aimait ça se coller sur ses bourrelets! Ma mère s'était choquée et mon frère s'était mis à pleurer, ne comprenant pas pourquoi son affection était si mal reçue. Traumatisé pour le reste de sa vie, il avait pris l'habitude d'offrir des cadeaux banals: boîte de chocolats, bouquet de fleurs, carte de souhaits dans laquelle il ne faisait que signer. Une stratégie prudente avec nos parents, mais peu charmante aux yeux de son amoureuse.

— Elle ne pense quand même pas que tu vas lui écrire un poème ou lui fabriquer un bracelet? demandai-je en me retenant de ne pas rire.

J'ai alors senti une charge de désarroi le submerger.

— Hey! repris-je immédiatement. Je déconne! La poésie, y a genre 0.1 % des chances que ce soit réussi. Le mieux qui pourrait arriver, c'est qu'elle te félicite pour l'effort… Pis un bracelet, c'est super cucu, à moins que tu sois beau comme Chad Michael Murray dans *Les Frères Scott*.

— Es-tu en train de dire que je suis laid? répliqua-t-il faussement sérieux.

Avec son sourire franc, ses yeux noisette rieurs, sa peau hâlée de moins en moins attaquée par les boutons et sa forme athlétique, Jonathan était devenu agréable à regarder. Mais je n'étais pas près de lui avouer ça non plus!

— Jamais je n'oserais, répondis-je avec un clin d'œil pour calmer son ego.

— Alors, as-tu des idées?

— Oui et non. Ça dépend de ce que tu veux exprimer avec ton cadeau.

— Ben, lui faire plaisir…

— OK, mais si tu espères la surprendre et si tu veux qu'elle s'en souvienne longtemps, il faut qu'elle sente que tu as vraiment pensé à elle. Elle aime quoi, Sarah-Maude?

Jonathan cherchait une réponse comme si son avenir en dépendait.

— Je sais pas…, sûrement pas des affaires de filles, en tout cas. Le maquillage pis ces niaiseries-là, c'est pas son truc. Elle a clairement pas besoin de ça pour être plus belle que les autres.

Sa copine attirait effectivement les regards sans les chercher : visage sans maquillage, look sportif, attitude détendue. Comme si elle n'avait pas besoin qu'on s'intéresse à elle pour être bien. Un trait de caractère que j'espérais un jour ajouter à ma personnalité…

— Sinon, reprit Jonathan, elle aime la nature, le basket, le kayak de mer et les trucs écolos, mais je ne peux rien lui donner qui coûte de l'argent.

— Pas exactement, répliquai-je. Elle t'a demandé de ne rien acheter en magasin, sauf que tu peux lui offrir quelque chose en faisant du troc.

Mon frère ne semblait pas aimer mon plan.

— Y a pas un commerce en ville qui va vouloir faire un échange !

— Non… mais peut-être que ton voisin accepterait, lui.

— Paul ?

— Ben non, Émile ! Ses photos sont malades ! Et je suis sûre que tu pourrais faire quelque chose pour lui.

— Ouin… mais il photographierait quoi ? Je peux quand même pas donner à Sarah des photos de moi. Ce serait ben trop vaniteux. Quoique le voisin aimerait peut-être ça… surtout si on prenait des photos osées !

Il riait comme une hyène! J'étais surprise que mon frère évoque le possible intérêt d'Émile pour les gars, et choquée qu'il le tourne en dérision.

— Aye, oublie ça! dis-je en me levant pour aller dans ma chambre.

— Non, Lilie! Pogne pas les nerfs. C'est juste des niaiseries. J'ai rien contre ton ami. Pis je l'aime, ton idée.

Je me suis rassise, prête à lui donner le bénéfice du doute.

— Bon, alors, tu devrais lui demander. Vous pourriez faire un album avec les endroits spéciaux pour Sarah-Maude et toi, les objets significatifs et les petites choses que vous êtes les seuls à comprendre.

Le regard de mon frère s'est allumé.

— Heiiin! Ce serait écœurant! Merci! Maman avait raison finalement…

— Comment ça?

— Rien, rien. Quand je lui ai demandé des idées, elle m'a dit que tu serais sûrement meilleure pour trouver quelque chose qui ferait plaisir à Sarah.

Je lui ai répondu avec un sourire ironique:

— *My God…* un compliment de la dame de Fer! Je devrais l'écrire sur une feuille pis l'encadrer.

— C't'encore drôle…, rétorqua-t-il. L'autre soir, avec papa, elle disait qu'elle était *full* impressionnée de te voir pratiquer autant et que tu lui faisais penser à elle au secondaire.

Un frisson m'a parcourue. Jamais de telles paroles ne s'étaient rendues à mes oreilles.

Ma mère était fière de moi.

Dans le fond de mon esprit, je savais que maman n'était pas une femme foncièrement mauvaise. Elle avait dédié sa vie à la maisonnée et à ses enfants, elle comblait mon père et faisait du bénévolat chaque semaine avec un plaisir sincère. Toutefois, la vie avait fait d'elle un être froid et inapte à comprendre les émotions de sa fille.

Quoique...

Je ressemblais à ma mère plus que je ne voulais l'admettre : j'avais passé la majeure partie de ma vie à étouffer mon hypersensibilité, à nommer mes émotions le moins possible et à essayer de mettre le couvercle sur ce qui bouillait en moi. Au fond, maman avait réussi là où j'échouais depuis tant d'années...

Semaine 8

Dernière semaine de préparation = dernière occasion de marier le sérieux à la détente.

Je marchais d'un pas léger vers mon ancienne école primaire, quand j'ai vu Émile au moins trente mètres plus loin. J'ai crié son nom, mais il semblait trop absorbé par son appareil photo pour m'entendre. Sa façon de plonger dans sa bulle en période de création m'avait toujours fascinée. Il s'imprégnait de son environnement, les sens en éveil, prêt à capter ce que personne d'autre n'avait vu ou à l'observer autrement. J'enviais sa capacité à s'investir dans son art, loin de toute préoccupation pour la compétition ou l'urgence de quitter la région. Émile savait depuis des lunes qu'il s'inscrirait à la technique en photo du Cégep de Matane, et l'idée de passer trois années supplémentaires auprès de ses parents ne le troublait pas outre mesure. Je savais qu'une part de sa passion était générée par l'envie d'épater son père, mais ses motivations étaient plus profondes que ça. Émile faisait de la photo pour lui avant tout. Quelque chose de profondément naturel émanait de ses gestes et de ses décisions.

À l'image de son père...

Toutefois, je connaissais suffisamment les deux hommes pour savoir ce qui les différenciait. Paul n'avait pas seulement l'habitude de s'isoler comme son fils, il avait besoin de silence et de solitude sur une base régulière. Une façon pour lui de se ressourcer ou de se protéger. Comme si une part de lui était écorchée et qu'il tentait de la guérir ainsi. Je sentais que la vie n'avait pas toujours été bonne avec lui.

Contrairement à aujourd'hui.

Le papa d'Émile avait trouvé en Maude une femme profondément attachante, capable d'apprécier sa personnalité sauvage. Ils avaient parfois des accrochages, mais rien qui remettait en question la solidité de leur relation. Chaque jour, les regards et les gestes qu'ils avaient l'un pour l'autre témoignaient du lien précieux qui les unissait depuis bientôt vingt ans. Tous les vendredis, ils mangeaient au restaurant où s'était tenu leur premier rendez-vous galant. La *mamma* glissait des mots doux dans les poches de son homme dès que l'occasion se présentait. Et Paul continuait de photographier

Maude avec ferveur. Aussi indépendant fût-il, l'homme de la famille Leclair retrouvait avec un plaisir sincère son amoureuse, son fils... et sa « fille non officielle ». Il m'avait un jour surnommée ainsi, parce que je craignais de déranger un souper de fête organisé pour sa femme :

— Cocotte, arrête de t'en faire. Tu pourrais passer tout ton temps à la maison et on ne se tannerait jamais de te voir. T'es un peu comme la fille qu'on n'a jamais eue. Et il n'y a pas une occasion spéciale qui est complète, si tu ne viens pas au moins faire ton tour.

J'avais plaqué ma tête contre sa poitrine, et nous nous étions enlacés de longues secondes. Jamais je ne pourrai l'affirmer à voix haute, mais j'aimais davantage Paul que mon propre père. Le papa d'Émile était la présence masculine la plus forte de ma vie. J'osais à peine imaginer comment j'affronterais l'existence s'il n'était pas là pour compenser ce que mon père ne m'offrait pas.

Pour une raison que j'ignorais, toutes mes pensées étaient orientées vers les Leclair aujourd'hui. Ainsi, durant ma pratique, j'ai essayé d'imiter Émile le photographe en ne suivant que mes envies, sans règles ni pression. Au programme : des trames sonores (*The Lion King, Tarzan, Beauty and the Beast, Jurassic Park, Titanic, Grease*) et des chants de Noël, afin de me mettre dans l'ambiance un peu plus tôt qu'à l'habitude. Au terme de l'avant-midi, mon cœur était léger et pétillant. Je ne pouvais pas mieux demander, à l'aube de mon départ vers la Colombie-Britannique.

J'ai voulu poursuivre sur ma lancée en passant du temps avec mon meilleur ami. Sa mère m'a accueillie en m'informant que son fils était allé chez ses grands-parents et qu'il arrive-rait d'une minute à l'autre. Je suis montée à sa chambre et j'ai posé ma tête sur son oreiller.

Lorsqu'un chatouillement m'a tirée du sommeil, j'ai réalisé que j'avais dormi deux longues heures. Émile était assis à mes côtés.

— Tu faisais quoi ? dis-je à moitié réveillée.

— Je suis allé luncher avec mes grands-parents : je leur ai montré le projet photo que je prépare pour mon père. Quand je suis rentré, tu ronflais tellement fort que je n'ai pas voulu te réveiller.

Je l'ai repoussé mollement.

— Je ronfle même pas !

— Je n'ai jamais osé te le dire toutes ces années…

J'ai levé les yeux au ciel.

— Raconte-moi donc ce que tes grands-parents ont pensé de ton projet, au lieu de faire le niaiseux.

— Mon grand-père a adoré ça ! Et Jacqueline m'a dit que ça paraissait que j'aimais vraiment mon sujet.

— T'as fait ça sur quoi, finalement ?

— Secret ! répondit mon ami. Je veux que mon père le voie avant de le montrer aux autres. Mais je n'ai pas pu résister à la tarte aux pommes que ma grand-mère m'a proposée en échange de l'exclusivité.

— Je ne ferai jamais le poids contre elle !

— T'as encore cinquante-deux ans pour apprendre, tsé.

Après un bref silence, je me suis souvenue de ce que je devais lui demander :

— Hey, pendant que j'y pense, Jonathan cherchait un cadeau pour sa blonde, et je lui ai dit qu'il pourrait peut-être t'engager pour une série de photos. Un genre de parcours de ce qui est significatif pour eux.

— Cool ! Ça pourrait être mon premier vrai contrat !

— Ouin, mais Sarah-Maude l'oblige à ne pas dépenser pour le cadeau, alors je lui ai suggéré de faire du troc avec toi.

Émile a soulevé ses sourcils. C'était sa façon à lui de me dire qu'il ne voyait pas ce que Jo pourrait lui offrir. J'ai regardé ma montre et je l'ai relancé :

— Il est à l'aréna présentement. Si on se dépêche, on pourrait voir la dernière période ! Pis après, vous jaserez.

Nous sommes arrivés dans les gradins juste à temps pour la dernière période. Comme toutes les fois où nous assistions à une partie de Jonathan ou de Jérémie, nous avons sorti nos grosses voix pour les encourager (leur mettre de la pression) et féliciter leurs bons coups (les gêner en faisant preuve d'un surplus d'enthousiasme). Vers la fin du match, quand Jo a marqué le but gagnant, il s'est laissé glisser « assis » sur son bâton pour récolter nos cris et nos compliments excessifs.

Gros fanfaron !

Le temps de prendre sa douche, il est apparu dans un coin du bâtiment avec son sac puant sur les épaules. Je suis allée lui proposer de discuter avec Émile. Deux secondes plus tard, quelqu'un tapait sur mon épaule :

Alexis-je-viens-de-prendre-une-douche-je-sens-bon-et-mes-cheveux-mouillés-vont-stimuler-vos-hormones-Séguin.

— Salut mademoiselle…, dit-il avec une bonne humeur contagieuse.

— Allô ! Ça va ?

— Je suis vraiment content de voir que tu te dégênes et que tu me suis partout ! J'ai vraiment bien fait de ne pas me décourager.

— J'ai toujours été bonne pour jouer les *cheerleaders*…, répondis-je avec un sourire en coin.

Enfin, j'arrive à lui répondre sans bafouiller !

— Ouin, j'ai entendu ça tantôt ! répliqua-t-il faussement mal à l'aise. Vous étiez vraiment intenses, toi et ton… ami ?

— On a des années de pratique, dis-je en ignorant le point d'interrogation à la fin de sa phrase. Je ne savais pas que tu jouais au hockey avec mon frère, Jonathan.

— Le baveux qui a compté le dernier but ? demanda-t-il en ricanant.

— Yep ! Dis-toi que j'endure ça tous les jours depuis bientôt quinze ans.

— J'aurais jamais cru que vous étiez parents ! Mais bon, je le connais pas tant… C'est la deuxième fois que je joue avec sa gang. Je remplace quand il manque quelqu'un.

— Alors, t'es un faux sportif? rétorquai-je pour le taquiner.

Son regard est devenu ratoureux.

— Presque. Mais je suis aussi vice-champion canadien en judo dans mes temps libres, répondit-il, fier de son effet.

C'était donc cela, sa passion.

— Pour vrai? Je pense que je n'ai jamais vu un combat de ma vie.

— Bah, tu viendras voir un entraînement à un moment donné… mais juste quand ton concours sera passé. Je ne voudrais pas que tu me voies en *chest,* que tu perdes tes moyens et que tu sous-performes à cause de moi.

Je lui ai donné une légère tape sur la poitrine.

— Note à moi-même : Alexis Séguin s'aime beaucoup.

Il a rougi d'un coup.

— Non, tellement pas! répliqua-t-il en perdant sa belle assurance pour la première fois. Alexis Séguin essaie juste un peu trop fort d'attirer ton attention…

— Il ne devrait pas trop s'en faire, répondis-je doucement.

— Très heureux d'entendre ça. Mais j'ai quand même une question pour toi… C'est vraiment niaiseux.

— Vas-y.

— Émile et toi… est-ce que vous êtes seulement amis ?

Touchée de découvrir une parcelle de sa vulnérabilité, j'ai souri en lui fournissant ma réponse :

— Émile, c'est un peu comme l'homme de ma vie... mais amicalement. Depuis toujours. Et pour toujours.

— T'es certaine ?

— Complètement. Je te raconterai, un jour...

En allant rejoindre Émile et mon frère, j'ai repensé à la niaiserie de Jonathan sur ce que notre voisin voudrait en échange des photos. Plus le temps passait, plus j'étais persuadée de voir juste au sujet de ses préférences.

: :

Monsieur Forest et moi avions convenu de nous rencontrer une dernière fois deux jours avant mon départ pour l'Ouest canadien. Je me suis assise à ses côtés en essayant de calmer ma tempête intérieure. J'avais la troublante impression que le gouvernail de ma vie changerait bientôt de direction. Comme si l'existence telle que je la connaissais ferait partie du passé et que les événements à venir me transformeraient pour de bon. J'écoutais ses nombreux conseils d'une oreille distraite.

— À Vancouver, faites attention à votre niveau d'énergie. Chaque professeur va exiger le meilleur de vous-même, alors ce sera important de bien dormir et de vous reposer. Même si mourez d'envie de découvrir la ville et même si certains participants n'auront pas la même discipline. Parlant des autres... essayez de ne pas vous comparer. Ni aux flûtistes ni à qui que ce soit. Chacun a son niveau d'expérience. Chaque instrument a ses défis. Vous ne pouvez pas prédire la performance des autres devant les juges.

J'imaginais mal comment j'arriverais à ne pas évaluer mes adversaires. Leurs prestations importaient autant que la mienne pour choisir les trois meilleurs talents. Le mieux était de prendre le tout avec un grain de sel :

— Ça veut dire que je dois oublier toutes les stratégies que j'ai imaginées pour les mettre hors d'état de nuire ?

- Dissimuler une poignée d'herbe à poux dans un instrument de la famille des cuivres (cor français, tuba, trompette, euphonium, saxophone) pour que son propriétaire souffle ma malice sur ses voisins ;

- Déclencher une alarme d'incendie et profiter de la cohue pour briser plusieurs archets ;

- Voler quelques anches de clarinettes, de hautbois, de saxophones et de bassons, avant de les dissimuler dans les affaires de mon plus féroce adversaire, pour que les organisateurs l'attrapent et l'expulsent ;

- Faire croire à deux ou trois anxieux que nous devions présenter trois pièces.

— Je pense que vous feriez mieux de vous concentrer sur vous-même, répondit monsieur Forest non sans sourire.

Il m'a ensuite demandé d'interpréter les pièces du concours, afin de passer certains détails en revue. Au bout de dix minutes, j'ai ouvert les yeux sur son visage satisfait.

— Réalisez-vous tout le chemin que vous avez parcouru pour jouer la Bête de cette façon ?

— Ben… je ne dirais pas qu'elle est parfaite, mais je suis vraiment contente depuis deux semaines. Au début, je pensais que vous m'aviez demandé de jouer une pièce trop *tough* juste pour que les juges pardonnent mes erreurs ou mon manque de talent en considérant l'ampleur du défi.

Son non-verbal m'informait que cette idée n'avait aucun sens. J'ai voulu me reprendre sur-le-champ :

— Mais j'ai compris que j'étais mal placée pour juger de mon potentiel et que je ne devais jamais douter de vos méthodes.

— Imaginez ce que vous allez accomplir, le jour où vous ne douterez plus autant de vous, dit monsieur Forest avec sa voix douce. D'ailleurs, lorsque vous serez devant les juges, oubliez qu'ils vous analysent et ne pensez plus à mes conseils. Rendue là, si vous n'avez pas déjà intégré un détail, vous n'allez pas le régler comme par magie. Tout va se jouer dans votre état d'esprit, votre concentration et votre laisser-aller. Si vous réussissez à entrer dans votre bulle et à plonger dans vos émotions, vous êtes capable de grandeur, Petite Lilie.

Ses paroles me rendaient encore plus nerveuse !

De retour à la maison, je me suis mise à courir comme une poule pas de tête. J'étais soucieuse de bien préparer ma valise pour mon premier voyage sans supervision parentale (comprendre ici : sans portefeuille d'adulte pour acheter un élément manquant/perdu). Le voyage à venir n'avait rien en commun avec les rares virées que j'avais faites à Québec, dans le Bas-du-Fleuve et ailleurs en Gaspésie avec ma famille, jusqu'à ce que mes parents décrètent que mes frères et moi étions trop turbulents pour répéter l'expérience.

Ils sont juste trop radins pour nous gâter...

Je savais par expérience que les escapades à l'extérieur de Matane n'exigeaient pas nécessairement de folles dépenses. À deux reprises, j'avais accompagné les Leclair dans les Maritimes et en Ontario : outre l'essence et quelques activités, nous faisions du camping, préparions nos repas, logions souvent chez des membres de leur famille et accumulions assez de souvenirs souriants pour que le coffre arrière de la voiture déborde à jamais.

Famille Leclair 10 / Famille Jutras 0

Je détestais comparer les deux clans, mais après des années à combler mes manques chez les voisins, c'était devenu une seconde nature. Les faits parlaient d'eux-mêmes. Maude, Paul et Émile seraient toujours là pour moi, alors que mes parents ne m'offraient leur soutien que de temps à autre.

Si bien que j'ai cru rêver lorsque mon père a cogné à ma porte :

— Ta mère voulait savoir s'il te manquait quelque chose pour ton voyage, dit-il avec un intérêt véritable.

Mes besoins se limitaient à ma flûte, des vêtements et des articles de toilette, mais quelque chose me suggérait de ne pas lever le nez sur sa proposition. J'ai réfléchi à toute vitesse pour lui répondre :

— Est-ce qu'on peut aller acheter des collations pour l'avion ? Ça m'éviterait de payer trop cher à l'aéroport.

J'évoquais volontairement un souci d'économie pour le convaincre.

— Je peux y aller avec toi maintenant, avant que la *game* commence.

J'ai abandonné ma chambre aux allures postapocalyptiques sans hésiter. À l'épicerie, j'ai rempli le panier de barres tendres, de fruits secs et de noix. Mon père y a glissé deux tablettes de chocolat noir.

— Tu mangeras la première au-dessus des nuages pis tu me diras si ça goûte différent, dit-il en me faisant réaliser qu'il n'avait jamais pris l'avion lui-même. Pis la deuxième, tu la garderas pour après ton audition.

— Promis, répondis-je en dissimulant ma surprise.

De retour dans son camion – dont je n'avais heureusement pas crevé les pneus! –, je regardais au large en me promettant d'être un peu moins sévère à l'égard de mon père. Au même instant, il a poursuivi sur sa lancée :

— Ça te tente d'aller manger une grosse poutine crevettes et bacon ?

Mes yeux criaient « Oh! mon Dieu ouiiiiii », mais j'ai pris mes précautions :

— Ben oui! Mais t'es sûr? Le hockey commence dans vingt minutes.

— Je pense que je vais survivre si je manque une ou deux périodes... C'est quand même juste un match entre les Hurricanes et les Capitals.

Note à moi-même : tu ne battras probablement jamais une partie des Canadiens, mais t'es en train de devenir presque intéressante à ses yeux. Party!

Quand la serveuse a pris ma commande, je me suis retenue de sautiller sur ma chaise. Je n'ai même pas sourcillé quand mon père a demandé qu'on diffuse le match de hockey à la télé du resto. Il avait toujours été un homme de peu de mots. Je ne pouvais pas espérer qu'il soit attentif à mes besoins ET qu'il me fasse la discussion le même jour. Le simple fait d'être avec lui me comblait. Par contre, quand j'ai voulu le remercier, il avait déjà changé son capot de bord :

— Finis ta poutine, dit-il en reportant son regard sur le téléviseur. On va rentrer entre les deux périodes.

— Ah, non, j'en peux plus ! rétorquai-je en reprenant mon souffle. Je vais exploser si je prends une bouchée de plus.

Il a fait une moue exprimant le peu de compassion qu'il avait pour mon état d'adolescente repue.

— Tu vas pas gaspiller ça !

— Ben là, j'ai juste plus faim. Faut pas capoter !

— Reste polie, jeune fille. Si tu ne comprends pas encore la valeur de l'argent, je vais te le montrer, moi.

Avant que j'aie le temps de répliquer, il a demandé à la serveuse de préparer un paquet pour emporter mes restes de ma poutine, soit le pire repas du monde à manger froid ou réchauffé. Je n'ai pas osé m'insurger, de peur qu'il se choque davantage et qu'il se fasse rembourser mon billet d'avion pour que j'aie ma leçon. À la place, mes yeux ont exprimé ma honte et je me suis dirigée en vitesse dans le camion. Je ne voulais pas être associée à cette idiotie.

Es-tu vraiment surprise ?

Sous plusieurs couches de mauvaise foi se cachait chez mon père une relation trouble avec l'argent. Je savais que nous vivions dans une région en déclin où l'argent et les bons emplois étaient de plus en plus rares. Que mon père avait toujours craint de manquer de sous. Que tout ce qu'il achetait devait être chéri ou consommé jusqu'au bout. Que son bonheur était proportionnel aux biens matériels qu'il possédait (ça expliquait son air bête à longueur d'année). Je n'acceptais pourtant pas qu'il réagisse ainsi avec moi. Je refusais de mener ma vie comme lui. Et je devais mettre toutes les chances de mon côté pour sortir de mon coin de pays.

Première étape : gagner le concours à Vancouver.

: :

Un froid perçant faisait regretter à tous les citoyens de Matane de s'être réveillés aujourd'hui. Pourtant, rien n'ébranlait mon sourire. Je regardais la mer défiler, partagée entre le soulagement d'être libérée de la Gaspésie pendant une semaine, la fébrilité de ce qui m'attendait à Vancouver et la joie de rouler avec deux de mes humains préférés. Maude m'avait proposé de me conduire à l'aéroport de Québec, d'où je m'envolerais en fin d'après-midi. Comme elle connaissait bien mes parents, elle avait raconté à ma mère que Paul revenait d'Islande quelques heures après mon départ et qu'elle était heureuse de m'éviter l'autocar. En réalité, son mari rentrait au Canada deux jours plus tard et elle avait devancé son trajet uniquement pour être avec moi. Malgré ma gêne, je m'étais laissé convaincre en découvrant qu'elle profiterait du week-end dans la Vieille Capitale pour passer du temps de qualité avec Émile.

Je ne me suis presque pas sentie jalouse. Pour vrai...

Avec le retour du papa prodigue, la *mamma* savait qu'elle devait profiter des quarante-huit prochaines heures pour vivre des moments privilégiés avec son garçon. D'ailleurs, elle ne semblait pas manquer d'idées pour meubler la fin de semaine:

— Ce soir, on va aller manger au Laurie Raphaël, dit-elle alors que nous approchions de Rivière-du-Loup. Émile est rendu assez vieux pour savourer de la haute gastronomie.

Assis sur le siège du passager à l'avant, mon ami s'est tourné avec un regard amusé.

— Ça, c'est sa façon de dire que je suis assez vieux pour me tenir et ne pas lui faire honte devant le monde pincé de Québec! ajouta-t-il en rigolant. J'ai lu un article dans *La Presse* sur le resto et ça a l'air malade! Le lendemain, on va manger chez Ashton pour être sûrs que notre estomac ne s'habitue pas trop à la bouffe raffinée.

Je lui ai répondu en fronçant les sourcils:

— Comment peux-tu aimer autant leur poutine après avoir goûté à celle de la poissonnerie? T'es clairement pas un vrai Gaspésien!

Émile m'a répondu du tac au tac.

— Regarde l'autre qui parle, madame-je-ne-manque-jamais-une-occasion-de-critiquer-Matane. Le Ashton a juste quelque chose de magique. C'est comme le summum du *fast food*!

— On va aussi aller au cinéma, coupa Maude pour calmer les esprits. On a prévu un programme double.

— Et on va se perdre sur les plaines d'Abraham, sur la grosse terrasse devant le fleuve et dans le Petit Champlain, renchérit Émile. Pis s'il y a trop de touristes fatigants qui prennent des millions de photos banales, je vais m'accrocher dans leurs lacets pour qu'ils échappent leur appareil.

Il était capable de le faire pour vrai...

— Parlant de ça, dis-je à mon tour, vas-tu aider mon frère pour son cadeau de Noël ?

— Oui ! On va faire ça cette semaine, pendant que tu vas *cruiser* les Britanno-Colombiens.

— Un contrat ? demanda Maude.

— Genre, répondit son fils avant de lui expliquer la nature de l'échange. Je ne sais juste pas quoi lui demander.

Un silence de quelques secondes s'est inséré dans la conversation avant que je suggère quelque chose :

— C'est rien qu'une idée, là... mais peut-être que ton grand-père va avoir besoin d'aide à la ferme à un moment donné. Je suis sûr que Jo serait bon. Pis au lieu de le payer, Maurice pourrait te donner de l'argent. Ça te ferait un début pour acheter ton appareil.

Enchanté par ma proposition, Émile me regardait comme si je venais de sauver un bébé de la noyade.

— Je pourrais lui montrer comment faire le train ou quelque chose de même. Pour une fois que je serais meilleur que lui !

La *mamma* s'est interposée :

— Dis donc seulement que t'aimes l'idée de donner la job plate à quelqu'un.

— Je ne vois pas du tout de quoi tu parles ! répliqua-t-il avec un sourire malicieux.

Les kilomètres défilaient sous mes yeux somnolents. D'aussi loin que je me souvienne, mon corps avait l'habitude d'endormir mon trac, chaque fois que j'approchais d'une compétition, d'un examen ou d'un événement inconnu. Probablement un mécanisme de défense que j'avais développé pour éviter que de légères palpitations intérieures se transforment en stress, en angoisse et en crise de panique.

À la vitesse où roulait la *mamma,* nous arriverions à Québec dans moins de trente minutes. Par la suite, je ferais mon chemin en solo dans les couloirs de l'aéroport, pendant que mère et fils se dirigeaient vers une petite auberge et leur souper cinq étoiles. J'étais persuadée qu'Émile profiterait de sa soirée au restaurant, mais je savais aussi qu'il comptait les heures le séparant de son père. Les garçons Leclair jouissaient d'une connexion difficile à mettre en mots. J'avais souvent le sentiment que mon ami respirait mieux quand Paul était tout près.

Moi aussi, parfois...

Mon papa par procuration dégageait une forme de solidité apaisante. J'allais régulièrement lui rendre visite, même en l'absence de son fils. Sa chambre noire était un lieu parfait pour m'isoler. Sans le déranger, je m'assoyais dans un coin, enveloppée dans la pénombre, les écouteurs dans les oreilles, et j'apprenais une nouvelle pièce en jouant de la flûte imaginaire pour me rappeler les doigtés. Lorsque j'avais besoin d'une pause, je remplaçais mes airs classiques par des chansons que personne de mon âge n'écoutait, surtout pas Émile. Je partageais avec lui un amour pour la musique pop, mais je vouais aussi un culte aux vieux chanteurs européens : Léo Ferré, Jacques Brel, Serge Reggiani, Édith Piaf, Serge Lama, Charles Aznavour, Serge Gainsbourg. Jamais je ne faisais jouer leurs compositions dans ma chaîne stéréo, afin d'éviter les railleries de mes frères et de protéger mon cocon musical.

Un jour, j'avais tenté de faire comprendre à mon meilleur ami ce qui m'emballait chez ces artistes. J'avais commencé en douceur avec *Emmenez-moi* d'Aznavour, afin de lui rappeler la trame sonore du film *C.R.A.Z.Y.* qui l'avait bouleversé l'été dernier.

Mes doutes sur son orientation sexuelle sont devenus plus sérieux quand je l'ai vu pleurer durant la scène où le jeune adolescent gai est confronté par son père sur ses préférences…

Le début de son initiation musicale a été un succès. Toutefois, parmi les quarante autres extraits de chansons que je lui avais fait écouter, seules des chansons archiconnues comme *Amsterdam*, *L'hymne à l'amour* et *D'aventures en aventures* ont suscité son enthousiasme. Il ne voulait rien entendre d'autre. Il m'a même fait jurer de ne plus jamais lui faire écouter du Gainsbourg !

— Chaque fois qu'il ouvre la bouche, on dirait un vieux mon'oncle libidineux, avait dit Émile. C'est malaisant !

Connaissant son ouverture limitée à tout ce qui ne sonnait pas comme de la pop ou du folk, je ne lui ai jamais parlé de mon penchant pour le… métal. Le vrai. Pas le punk rock des Pennywise, The Offspring ou Metallica. Plutôt des trucs comme Rammstein et Marilyn Manson. Leurs œuvres étaient pour moi des cris du cœur qui exprimaient ma détresse et ma rage. Je pouvais passer des heures dans la chambre noire de Paul à me laisser traverser par l'intensité de leur musique. Ces séances d'exutoire m'étaient nécessaires, mais je n'imaginais pas en parler à mes proches. Comme si je n'assumais pas pleinement ma vraie nature.

Avoue-le donc que dans Dawson's Creek, *t'es pas réellement une Joey Potter…*

Le jour où j'avais découvert la télésérie, je m'étais d'abord identifiée à la brunette en quête de perfection. Mais plus je visionnais les épisodes, plus je me sentais interpellée par Jen, la blondinette rebelle jouée par Michelle Williams. Pas tant pour ce qu'elle vivait que pour sa personnalité légèrement en marge : elle se laissait porter par un je-m'en-foutisme libérateur, sans avoir besoin de crier à la Terre entière qu'elle était différente. J'ignorais si je pourrais un jour me permettre une telle attitude, mais quelque chose en moi y rêvait.

C'est probablement pour cette raison qu'une vague d'euphorie m'a submergée, quand l'avion a décollé. Je m'éloignais enfin de cette terre où je me sentais à moitié moi-même, cette région où je souriais seulement grâce à quelques êtres humains précieux. Comme ce grand blond qui avait caché un mot dans mon bagage à main :

Hey petite cocotte !

Profite de ta semaine pour triper et pour prendre un break de tes parents. Mais attache-toi pas trop à Vancouver. C'est ben trop loin du Québec pour que notre couple survive à la distance !

Je t'aime.

Mile

P.-S. – T'es pas game de gagner le concours !

À eux deux, Émile et Maude avaient souligné mon départ avec mille fois plus d'attention que ma propre famille. Jonathan avait dressé la liste de tout ce qu'il pourrait faire pendant mon absence (fouiller dans ma chambre, brûler mes soutiens-gorges, faire une vente de garage avec mes vêtements). Jérémie semblait avoir oublié qu'il ne me reverrait pas de la semaine : il a quitté la maison pour la journée sans un mot. Mon père m'avait souhaité « bonne chance, ma petite fille » en direct de son divan, pendant que ma mère fouillait dans mes bagages pour être certaine que je n'avais rien oublié. À quelques jours de l'événement le plus important de ma vie, leurs paroles d'encouragement étaient à l'image de notre complicité familiale : pratiquement inexistantes…

9

Assise près du local d'audition, je fixais mon reflet dans une porte vitrée. J'étais stupéfaite d'y voir un visage sans cernes, des cheveux souriants et une peau sans égratignure, alors que j'avais l'impression d'avoir été frappée par la foudre. Rien n'y paraissait puisqu'aucun drame majeur n'avait teinté les sept derniers jours. Seule une succession d'éclats avait égratigné mon cœur et mon orgueil.

— Lilie Jutras, dit une anglophone sans savoir comment prononcer mon nom de famille.

Son accent était le moindre de mes soucis. Dans un instant, j'affronterais les jurys qui avaient la suite de ma vie entre leurs mains.

Si seulement j'avais écouté la petite voix qui me conseillait de rentrer au Québec, lorsque je suis arrivée...

Trente-cinq minutes après l'atterrissage, j'ai aperçu mon nom écrit sur un carton blanc, comme dans les films. Je me sentais si spéciale que j'aurais pu mettre fin à mon voyage sur-le-champ, parfaitement comblée. Ou presque.

Un bénévole envoyé par l'organisation a pris mon sac et m'a conduite dans les rues de Vancouver, s'amusant de me voir en extase devant la pointe des Rocheuses, un gratte-ciel majestueux ou une parcelle du Pacifique. J'osais à peine imaginer à quoi ressemblait la ville quand la température l'enveloppait d'une végétation luxuriante. Elle me plaisait déjà plus que Montréal, Québec et Toronto.

À mon arrivée dans la résidence étudiante où les concurrents séjournaient, j'ai reçu mon horaire de la semaine, un certificat de participation et la clé de ma chambre. Exténuée par le voyage, je m'y suis rapidement dirigée. Lorsque j'ai ouvert la lumière, j'ai eu un léger choc: la pièce, grande comme ma chambre à Matane, contenait deux lits simples, un lavabo, une grosse armoire et une table de travail cachant un minifrigo. Une deuxième surprise a suivi:

— *What the fuck are you doing?* grogna quelqu'un caché sous les draps du lit à droite.

— *Oh! I'm sorry. I didn't know there was someone.*

Ma cochambreuse a gesticulé pour que j'éteigne. Résultat: j'ai déposé mes affaires dans un des rares espaces libres, je me suis fracassé le petit orteil sur le bord de l'armoire et je me suis effondrée dans l'autre lit, sans me doucher ni me déshabiller.

Ça commence tellement bien!

Bien entendu, madame-je-ne-te-dis-pas-bonjour-mais-j'im-pose-ma-loi s'est réveillée avant le soleil et ne s'est pas gênée pour faire du bruit en graissant les pistons de sa trompette. N'ayant pas suffisamment de vocabulaire en anglais pour lui dire de se trouver une vie, de me laisser dormir ou d'aller se perdre dans le trafic, j'ai enfoui ma tête sous un oreiller. Environ trente minutes. Jusqu'à ce que l'envie de prendre une douche me pousse hors du lit.

Au milieu de l'étage se trouvait une grande pièce avec deux cubicules de toilettes, un lavabo et trois douches, ainsi qu'une odeur d'eau de javel et de putréfaction. Les doigts sur les narines, j'ai tenté d'ouvrir la porte d'un coin douche, quand une voix grave a réagi :

— *There is someone! Unless you wanna join!*

J'apprendrai plus tard que le douche-bag-propre-de-sa-per-sonne était un joueur de saxophone soprano aussi bruyant que son instrument. En fait, tous les musiciens du concours semblaient avoir un élément en commun avec leur violon, leur clarinette, leur batterie, leur contrebasse ou leurs tim-bales. De mon côté, je trouvais que la flûte était un instru-ment discret, mais capable d'être entendu dans le brouhaha d'un orchestre. Comme moi, avec le reste du monde…

À l'heure du lunch, assise seule à une table de la cafétéria, j'analysais mes adversaires en essayant de me remémorer la spécialité de chacun. Plus tôt, les organisateurs nous avaient demandé de nous présenter, et à voir la façon dont certains interagissaient, je comprenais qu'ils se connaissaient depuis des années grâce aux compétitions provinciales ou nationales.

Comprendre ici : ils sont clairement plus expérimentés que toi !

De petites cliques s'étaient formées dès la première journée, sans que je sache comment me greffer à l'une d'elles. J'avais compris rapidement qu'il valait mieux rester en retrait. Pas que je m'effaçais durant les cours ou que je perdais l'usage de la parole quand on voulait mon avis lors d'une conférence, mais, contrairement à ce que j'avais imaginé, je ne voulais pas me lier d'amitié avec ces jeunes seulement parce que nous partagions une passion pour la musique. Nos champs d'intérêt communs ne faisaient pas de nous des clones, au contraire! Les timides côtoyaient les grandes gueules, et chacun prenait bien soin de délimiter son territoire. Spécialement ceux qui jouaient du même instrument. Sur trente-deux participants, nous étions trois flûtistes : un gars de dix-huit ans originaire du Manitoba et une Néo-Écossaise de douze ans, qui avait eu une dérogation malgré son âge.

Yay! Je vais être comparée à un jeune adulte et une enfant prodige!

Mes opposants directs m'intimidaient, mais aucune animosité ne s'était installée entre nous. Pendant une lecture à vue, où nous devions jouer une partition reçue vingt minutes plus tôt, j'avais perdu le fil momentanément et mon aîné m'avait gentiment indiqué où nous étions rendus. De son côté, la petite ressemblait à un robot en parfait contrôle de la situation, jamais perdue, toujours juste et sur les temps.

Elle a probablement passé les huit dernières années de sa vie enchaînée dans le sous-sol de ses parents pour pratiquer sans relâche, loin de la lumière du jour...

En fin de compte, les flûtistes n'étaient pas ceux qui me préoccupaient le plus. Un soir que je m'étais enfermée dans un cubicule de la salle de bain commune, pour éviter ma colocataire (à qui j'avais diagnostiqué une série de troubles obsessionnels compulsifs, qui expliquaient ses mille manies et sa tendance à me tomber sur les nerfs), j'avais entendu deux filles bitcher sur notre groupe. Elles s'amusaient à surnommer certains de nos collègues : « le plus gros frais chié de l'histoire », « mademoiselle je-sais-tout », « ceux qui n'ont pas le talent pour être ici, mais des parents assez riches pour soudoyer les organisateurs » et « celle qui va probablement craquer sous la pression avant même de se rendre aux auditions ».

Heureusement, je ne faisais pas partie de leurs cibles. Elles n'étaient pas particulièrement méchantes, mais l'idée d'être passée sous leur radar ne me déplaisait pas.

— Oh, et as-tu vu la flûtiste du Québec ? ajouta l'une d'elles en anglais. Je ne sais pas comment elle fait pour être aussi bonne avec un instrument aussi merdique !

La conne !

En plus de dénigrer ma flûte, elle avait décrit mes vêtements comme « un hommage involontaire aux années quatre-vingt-dix, dans le temps où c'était à la mode de porter un manteau de jeans trop ample et des Converse *vintage* ». Son amie avait gloussé comme une poule qu'on égorge, avant de renchérir :

— Et as-tu remarqué son odeur ? Elle vit sûrement sur une ferme !

Inévitablement, son commentaire m'a fait douter et j'ai pris une sniff de mes aisselles pour m'assurer que mon déo fonctionnait toujours. Rien à déclarer de ce côté. J'ai pris cinq secondes pour réfléchir à ma réplique en anglais et je suis sortie de ma cabine avec fracas :

— Savez-vous ce que je sens chez vous, moi ? De la peur. Vous êtes effrayées que je sois meilleure que vous, même si je joue avec une vieille flûte. Ben un jour, vous allez comprendre que vous êtes des PETITES personnes !

Sans leur laisser le temps de réagir, je suis retournée dans ma chambre. Quand j'ai vu ma coloc manger dans son lit en écoutant une mauvaise émission à la télé, je lui ai demandé (j'ai exigé) d'avoir la chambre pour moi pendant une heure. Elle a vite compris qu'il valait mieux obéir. Une discussion avec Émile s'imposait, peu importe les coûts de l'appel interurbain. Après trois sonneries, la *mamma* a répondu :

— Lilie !? Tout va bien, chérie ?

— Bof. Les conférences sont pas pire intéressantes. Les classes de maître sont vraiment rushantes, pis la moitié des musiciens sont insupportables. À part ça, ça va. J'ai juste besoin de me plaindre avec quelqu'un d'aussi immature que moi.

— Émile ! cria Maude loin du combiné. As-tu du temps pour écouter ta meilleure amie chialer ?

J'adorais la réaction de la *mamma* et la rapidité avec laquelle Émile m'a répondu :

— Département des plaintes, du chialage, du bitchage et de la mauvaise foi, bonjour. Que puis-je pour vous ?

— Sais-tu comment faire disparaître du monde ? demandai-je avec un sourire dans la voix.

— Oh mon Dieu... c'est comme ta façon de me dire que t'es pas vraiment à Vancouver dans un concours de musique, que monsieur Forest est en fait le sorcier qui veillait sur toi jusqu'à ce que tu sois prête à utiliser tes pouvoirs, que tu m'as évité comme une grosse pas fine pendant deux mois pour perfectionner tes bases en magie et que t'es genre dans un gros château caché dans la brume, pis que ton examen, c'est de transformer du monde en… rien? Non, attends, c'est pas ça! Ta question, c'était-tu un code pour vérifier si j'ai aussi des talents cachés, même si je suis né dans une famille de non-magiciens?

J'ai répliqué au milieu d'un éclat de rire :

— Pis toi, c'est-tu ta façon de me dire que tu t'ennuies?

— Abondamment. Chaque jour, chaque heure, chaque minute, dit-il avec un accent mélodramatique. Mais je suis surtout curieux de savoir comment tu vas justifier à tes parents leur facture d'interurbain.

— Mehhh. C'est pas important, ça. De toute façon, j'ai décidé que j'allais gagner la maudite compétition. Fac, je vais être *full* riche!

— Mon Dieu! Qu'est-ce qu'ils te font manger là-bas pour que tu dises des affaires de même?

— Pas mal la même chose qu'à Matane, honnêtement. C'est ben décevant. Le matin, je m'arrange pour être parmi les premiers à la cafétéria pour récupérer les rares contenants de beurre d'arachide. Sinon, rien à signaler.

— Bon… Tu ne m'as sûrement pas appelé pour me parler de beurre de pin'. Allez, dis-moi tout.

J'ai pris une longue respiration avant de plonger :

— Y a deux filles qui me regardent comme si j'étais un gros déchet. Elles dénigrent ma flûte et elles ont même dit que je sentais la campagne! Pis moi, la niaiseuse, j'ai douté!

J'entendais Émile hurler de rire au bout la ligne.

— À part de ça, ajoutai-je, je me demande au moins trois fois par jour «quessé que je fais ici?» Les profs et les conférenciers sont tellllllllement prétentieux. Je n'ai rien contre monsieur Forest qui est toujours hyper sérieux et qui me vouvoie depuis que j'ai genre onze ans, mais eux, ils se prennent clairement pour d'autres! Ils sont hyper rigides. On n'a jamais le droit de dire un mot, même quand on fait juste se réchauffer. Ils veulent qu'on les écoute comme si ce qu'ils nous disaient, c'était de l'or en barre. Je veux ben croire qu'ils ont plein de choses à m'apprendre, mais je ne vais pas leur licher les bottes pour accéder à leur grannnnd savoir.

— Ouin…, répondit Émile en témoignant de son impuissance. Tu viens juste de comprendre que le monde de la musique classique est un peu *stuck-up*?

— Oui, mais non. J'ai souvent entendu dire que les musiciens classiques étaient plus de party qu'on pensait. Sauf qu'ici, les adultes sont vraiment pognés de partout.

Plus je parlais, plus je constatais l'ampleur de ma déception. J'avais traversé le pays en espérant rencontrer des humains à qui je ressemblais cent fois plus que les ados de Matane, mais je découvrais un environnement stressant et une guerre d'ego à laquelle je participais moi aussi.

— Pis les autres jeunes, eux, ils sont corrects? À part les deux *bitchs* de tantôt.

— Ma cochambreuse est une *freak, full* bête, répondis-je. Un des flûtistes est gentil. Mais je ne me sens vraiment pas à ma place.

— Es-tu en train de me dire que tout est de la marde et que les seuls bons côtés de ton voyage, c'est de prendre un *break* de tes parents et de pouvoir te vanter que tu as pris l'avion avant moi?

C'était exactement pour ça que je l'avais appelé: sa capacité d'accueillir mes commentaires négatifs sans me juger et sa façon de tout désamorcer en quelques mots.

— Quand même pas, non...Même si la moitié du monde est étrange, ça fait du bien d'être entouré de musiciens qui travaillent aussi fort que moi. C'est ultra-motivant! On joue de la musique, on parle de musique et on écoute de la musique sans arrêt. C'est tout juste s'ils ne branchent pas des électrodes sur nos têtes pendant qu'on dort pour nous façonner le cerveau. Pis même si je m'ennuie de monsieur Forest, j'aime ça être confrontée à un autre point de vue ou entendre un conseil exprimé autrement. Ça m'aide à fond!

— Alors, essaie de te concentrer là-dessus, pis oublie les autres. De toute façon, tu ne les reverras probablement jamais de ta vie.

— Ouin. En tout cas, faut que je raccroche, là. Dès que je reviens, on parle juste de toi. Juré, craché.

— Je t'aime!

— Moi plus!

À la seconde où j'ai rouvert la porte, ma colocataire a foncé vers son lit comme si elle retenait son souffle depuis le début de ma discussion. Sans me regarder, elle a lancé un bout de papier sur mon oreiller en précisant que Nathaly, une des

179

deux *bitchs,* avait laissé ça pour moi. Son message allait comme suit :

> *Pardonne-moi. J'ai été méchante et tu ne le méritais pas. Je ne sais pas pourquoi j'ai dit ça... Je ne suis pas comme ça d'habitude. Je pense que la compétition me monte à la tête. Je suis hyper stressée. Et je pense que j'ai eu peur... de toi. Je n'arrive juste pas à comprendre comment tu peux être si bonne, avec une flûte pas super récente. Le reste, ce que Julia a dit, c'était n'importe quoi. Je m'excuse. Sincèrement.*
>
> *Nat*
>
> *P.-S. – Pour te prouver ma bonne foi, je t'invite à déjeuner vers huit heures, pour qu'on apprenne à se connaître au lieu d'inventer des niaiseries. Mais si je suis toujours aussi cruche, tu me lanceras ton jus d'orange au visage !*

J'ai relu son message trois fois avant de croire à sa sincérité. Je me suis d'abord dit qu'avec un nom pareil, à seize ans, en 2005, ce n'était pas surprenant que son cœur soit en train de se décomposer. Puis, j'ai compris qu'elle assumait ses gestes et qu'elle exprimait des regrets. Néanmoins, je suis allée me coucher en élaborant une douce revanche, au cas où. Quelque chose qui commençait par sa face pleine de jus et qui se terminerait en guerre de bouffe.

: :

Je m'étais levée trente minutes plus tôt que les jours précédents : je voulais être assez réveillée pour soutenir une discussion en anglais. À la cafétéria, mademoiselle-langue-de-vipère m'attendait avec une montagne de crêpes. Pendant un bref instant, j'ai songé qu'elle essayait peut-être de m'empoisonner, mais le pétillant de son regard m'a rassurée sur ses intentions.

— *Hi!* lança-t-elle en me faisant signe de m'asseoir. J'espère que tu aimes les *pancakes*.

Elle avait prononcé quelques mots en français avec un accent charmant.

— Allô! dis-je en plissant des yeux. Je ne savais pas que tu parlais ma langue.

— J'essaie, répondit-elle avant de poursuivre en anglais. J'ai passé deux étés à Jonquière dans une école de langue, mais j'ai presque tout oublié. J'ai cherché dans un dictionnaire pour savoir comment dire ma phrase...

J'étais étonnée de voir à quel point mon anglais était meilleur que son français, mais ravie de voir l'effort qu'elle fournissait pour être gentille.

— Moi aussi, j'aimerais ça passer un été dans une autre province! dis-je sans préciser que ce serait plus pour quitter ma famille que pour perfectionner ma deuxième langue.

— Tu devrais! Il y a des programmes partout.

Sa suggestion galvanisait mon envie de quitter la Gaspésie pour deux mois ou pour la vie.

— Toi, tu viens d'où? demandai-je.

— Red Deer, Alberta. Une ville qui se résume au pétrole et... aux terres agricoles.

Je l'ai regardée avec suspicion.

— Dis-moi pas que tu as grandi dans une ferme !

— Non, non, non ! répondit Nathaly. Mais pas loin.

— Alors, on se ressemble plus que tu le pensais…

— Ouais, je sais…, murmura-t-elle repentante. Je m'excuse encore. J'ai été…

— Oublie ça, dis-je en l'interrompant. Mon meilleur ami te répondrait qu'il n'y a rien qu'on ne peut pas pardonner avec un déjeuner, un dessert… ou des bonbons !

— Je l'aime déjà !

— Ah ! Je m'ennuie de lui !

Spontanément, je lui ai décrit Émile, nos niaiseries et l'importance de ses parents dans ma vie. À son tour, elle m'a expliqué à quel point son père et sa mère étaient la version extrême des parents poules.

Chacun ses combats : les miens m'étouffent par leurs règles et leur manque d'intérêt, les siens lui donnent trop d'attention. Probablement pour compenser l'affront de lui avoir donné un prénom de vendeuse d'assurances… Quoique pour Al et Georgina, « Nathaly » est probablement une preuve de raffinement.

Les autres musiciens arrivaient à la cafétéria pendant que nous nous racontions nos vies. Quand Julia est apparue dans mon champ de vision, j'ai savouré la surprise sur son visage presque autant que le faux sirop qui faisait du slalom dans mon estomac. Nathaly lui a fait signe de se joindre à nous, mais *Bitch* numéro deux est allée s'asseoir plus loin.

Une demi-heure plus tard, ma nouvelle amie et moi avons filé vers l'auditorium et pris place dans un coin. J'avais toute la misère du monde à garder ma concentration pendant qu'un musicien nous racontait à quel point il était beau pis fin. Je retenais un bâillement toutes les dix minutes et Nathaly me donnait des petits coups de soulier pour empêcher mes yeux de fermer.

Probablement à cause du déjeuner géant que j'essayais de digérer...

Ou parce que j'avais du mal à m'intéresser à un exposé destiné surtout aux violonistes, aux violoncellistes et aux contrebassistes. Après environ une heure, durant laquelle je m'étais visualisée en train de me frapper la tête sur un mur, parce que ça avait dont ben l'air plus l'fun que de l'écouter, les applaudissements de mes collègues me sont apparus comme un signe de libération. Nathaly et moi avons échangé un regard et nous sommes parties vers le couloir en courant pour récupérer nos instruments avant le prochain atelier.

Je suis arrivée au local, alors que l'enseignant s'apprêtait à fermer la porte. Je lui ai posé une question dans un anglais faussement maladroit pour l'obliger à me faire répéter, pendant que les bruits de pas de mon Albertine préférée résonnaient derrière nous. Mes aptitudes de renarde rusée ne m'ont malheureusement été d'aucun secours face à la sévérité du professeur. En début de classe, il nous a demandé d'interpréter tour à tour les mêmes quinze mesures d'une pièce pour faire entendre notre personnalité. Une façon, selon lui, de démontrer qu'au-delà des différences entre nos instruments, il y avait un monde infini de nuances entre chaque interprète. Les tentatives de ma coloc-trompettiste, d'un bassiste et d'un clarinettiste ont été qualifiées de «bien jouée mais banale», «intéressante» et «correcte». Puis, j'ai tenté ma chance. Sans grand succès…

— C'est tout ce que vous avez dans le ventre, jeune fille? demanda-t-il en me fixant dans les yeux.

Ne sachant pas quoi répondre, je l'ai relancé avec une question:

— Je n'ai pas fait ce que vous attendiez?

— Est-ce tout ce que vous savez faire: être prévisible? C'est bien joli, votre technique, mais je voulais voir votre personnalité. Pas entendre votre cerveau qui réfléchit pour m'offrir quelque chose de différent des autres, mais qui ne vient pas de vos tripes.

— Je suis désolée…

— Je ne veux pas d'excuses, mademoiselle Jutras. Ce n'est pas parce que vous êtes formidablement douée que vous avez le droit d'être paresseuse!

Derrière moi, Nathaly a poussé un bruyant soupir. Je me suis retournée vers elle à la même vitesse que notre prof. Un air d'exaspération tapissait son visage.

— Vous avez quelque chose à ajouter? demanda-t-il à ma copine.

— Rien qui vous intéresse, répondit-elle du tac au tac.

Piqué au vif, il lui a ordonné de faire l'exercice à son tour. Dès ses premières notes au saxophone, j'ai compris ce qu'il manquait à mon jeu. Se servant de l'émotion qui l'habitait,

Nathaly a répliqué avec une formidable montée en intensité. D'abord subtiles et retenues, ses notes gagnaient en puissance et martelaient nos oreilles de staccatos percutants, avant de nous arracher le cœur avec une finale poignante. Tous les participants analysaient les joues rouges de mon amie et la réaction du professeur, jusqu'à ce qu'il frappe dans ses mains avec lenteur.

— Bien joué, jeune fille. Si vous continuez de canaliser votre petit caractère dans votre instrument, vous irez loin.

Je n'ai plus rien écouté du cours. J'en voulais à Nathaly de m'avoir fait comprendre que mon jeu était peu inspiré ET d'avoir joué la fille craintive de mon supposé talent, la veille. Puis, je me suis rappelé que j'étais moi aussi capable de douter de mes capacités malgré des preuves éloquentes de mon potentiel et j'ai arrêté de lui en vouloir en me souvenant qu'elle avait pris ma défense, à sa façon.

Elle vient officiellement de perdre son statut de bitch...

Je me suis isolée pour le reste de l'après-midi, jusqu'à ce que mon amie m'intercepte dans les couloirs.

— Hey! Ça va? demanda-t-elle l'air soucieux.

— Mmoui. Ça m'a rentré dedans, ce que le prof a dit ce matin...

— Oublie-le! C'est un vieux schnock qui chiale après tout le monde parce qu'il est en fin de carrière. Tu devrais venir avec nous ce soir pour te changer les idées!

— Qui ça, nous?

— On est quatre ou cinq à aller magasiner sur Robson street. On va rentrer avant neuf heures. Allez, ça va te faire du bien!

J'étais touchée par son invitation.

— C'est gentil, mais je pense que je vais relaxer ici, répondis-je. Je veux être en forme demain.

— D'accord, mais si tu changes d'idée, demande mon numéro à Julia. On partage notre chambre. Tu viendras nous rejoindre !

Au-cu-ne chance que j'aille la voir, elle.

: :

Au terme d'une soirée à végéter, les probabilités qu'un vieux-musicien-recyclé-en-prof me démoralise me semblaient bien plus minces. Mes fesses étaient enfoncées sur le canapé pas du tout moelleux de la salle commune. Je portais sans gêne un bas de pyjama horrible, mais confortable, un kangourou qui ne matchait avec rien et une couette sans personnalité. Ma petite déchéance personnelle était accompagnée par l'aîné des flûtistes et les trois saxophonistes barytons, qui s'étaient liés d'amitié depuis le début. La télé diffusait plusieurs épisodes de *Will & Grace,* une télésérie où l'on suit deux amis colocataires, un avocat gai et une designer d'intérieur hétérosexuelle. Je me délectais tout particulièrement des apparitions de leurs meilleurs amis, Karen la riche alcoolo et Jack le comédien exalté. Ce dernier était tellement exubérant, maniéré et féminin qu'il ferait passer mon meilleur-ami-potentiellement-gai pour une grosse brute toujours partant pour déboucher une bouteille de bière avec ses dents. Émile ressemblait davantage à Will avec sa façon de dire franchement tout ce qu'il pensait, d'aimer inconditionnellement sa meilleure amie et de la protéger contre vents et marées. Pendant un instant, j'ai même imaginé un futur où nous serions colocataires à notre tour : nous partagerions nos états d'âme, passerions quelques dimanches matin sous la couette à regarder des films et essaierions de nous inventer des compétences en cuisine, avec les pouvoirs magiques qu'aucun de nous ne possédait.

Bref, nous aurions exactement la même relation, mais avec une proximité décuplée.

Vers vingt-deux heures, j'ai posé ma tête sur mon oreiller, dans un état de zénitude absolue, les abdominaux fatigués d'avoir ri et l'esprit libre de colère et de doutes.

: :

Trois jours s'étaient écoulés depuis ma soirée de détente devant la télé. Hier, on m'avait avisée que je serais la cinquième concurrente à passer la fameuse audition, alors que j'espérais figurer parmi les dernières. J'ai dû me lever vers six heures, même si je rêvais de rester cachée dans mon lit pour l'éternité. Je me suis brossé les cheveux en repensant aux trente-six dernières heures, le vague à l'âme. J'ai mis mes vêtements en remerciant le ciel d'avoir retrouvé mes moyens. Je déambulais dans les couloirs en refusant de me laisser distraire par qui que ce soit. Dans un local de pratique, j'ai répété mes pièces du concours deux fois et consacré une demi-heure à des partitions amusantes. Je rappelais à mon cerveau les trucs que j'utilisais à la maison pour me libérer du trac.

Pourtant, je n'avais aucun signe de fébrilité...

J'avançais dans le couloir menant au local d'auditions, à la recherche d'un minimum de nervosité, comme un condamné à mort essaie de capter des bouts de vie avant de laisser la noirceur s'emparer de lui. Je me suis assise sur l'une des chaises collées au mur, surprise de retrouver autant de dextérité dans mes mains. Au bout de dix longues minutes, la sentence est tombée :

— Lilie Jutras.

Mon tour est venu. Je me suis installée au centre de la pièce. J'ai eu une pensée pour monsieur Forest avant de jouer la Bête. Je préférais casser la glace avec la pièce la plus effrayante. Cette œuvre sur laquelle j'avais tant bûché. Toutes ces heures pendant lesquelles j'avais mis de côté une partie de ma vie.

Par choix. Tu as fait tout ça par choix, Lilie. Ce n'était pas un sacrifice. Ça ne l'a jamais été !

Mon esprit répétait cette phrase comme un mantra, pendant que mes bras se mettaient en place. Comme si ma tête et mon corps se boudaient et préféraient vivre les prochaines minutes chacun de son côté. Comme s'ils n'étaient pas tout à fait d'accord. Comme si une infime partie de moi regrettait certaines de mes décisions.

Lesquelles ?

Au lendemain de ma soirée télé, je m'étais réveillée pimpante d'énergie. J'avais commencé ma journée en écoutant Nathaly me décrire son épopée au centre-ville, sans remettre en question les heures de farniente que je m'étais allouées. Nous avons assisté à une conférence de trois heures, pendant laquelle j'ai bu les paroles d'un clarinettiste vedette. Puis, j'ai participé à chacun de nos ateliers avec un enthousiasme inépuisable. Je laissais mes doigts s'amuser sans trop réfléchir, obtenant au passage des compliments des profs et de certains participants.

En pleine audition, j'ai songé à ma posture une seconde avant un passage particulièrement relevé. Mon tonus corporel devait compenser là où ma discipline avait fléchi l'avant-veille…

Au terme de ce qui était sûrement ma meilleure journée au camp de préparation, je m'étais rendue dans la chambre de Nathaly, non sans m'être assurée que Julia-la-peste était absente. Plus tard en soirée, mon amie a sorti des bières de son minifrigo.

— Tu penses quand même pas que je vais boire une gorgée de ÇA, cette semaine ! avais-je dit avec un mélange d'amusement et de dédain.

— Relaxe, la Québécoise. Je ne veux pas qu'on se saoule. On va juste décompresser un peu.

Effectivement, avec six bouteilles en sa possession, Nathaly ne pouvait pas sérieusement prévoir une beuverie. N'empêche, ma Red Deeroise favorite avait planifié ses arguments :

— Demain, c'est notre seule matinée de congé, et ce soir, Julia ne reviendra pas avant des heures. Allez, dis oui !

Devant les juges, j'ai interprété la Bête sans la moindre anicroche. Aucune erreur. Aucune fausse note. Rien qui laissait transparaître un inconfort technique… ou physique. J'ai jeté un coup d'œil aux adultes devant moi, et l'un d'eux semblait impressionné par mon numéro.

Eh bien pas moi !

J'étais trop occupée à regretter ma soirée avec Nathaly pour me flatter l'ego. J'avais baissé ma garde. J'avais étouffé ma détermination en me disant que je ne la reverrais peut-être jamais après la compétition et que c'était l'un de nos derniers moments ensemble. J'avais laissé mes carences amicales des derniers mois prendre le dessus. Je m'étais permis une bière. Une deuxième. Et la moitié d'une troisième…

Seules quinze secondes s'étaient écoulées entre les deux pièces du concours : la Bête et la Belle. J'ai entamé le dernier morceau, pendant que mon esprit analysait le film de Disney. Je pensais à Belle la brunette parfaite, la jeune vierge inoffensive, celle qui n'avait probablement jamais dépassé les limites et qui ne remettait jamais en question ses priorités. Parce qu'elle savait qui elle était. Parce qu'elle n'était pas du genre à se laisser tenter par le diable. Parce qu'elle ne ressemblait pas à cette jeune adolescente de Matane qui s'était transformée en monstre de discipline depuis des années et qui n'avait jamais pris plus que trois gorgées de bière. Belle n'avait jamais fini la tête au-dessus d'un bol de toilette dans une résidence malpropre de l'Ouest canadien, pendant que son amie lui flattait le dos.

Vers la fin de l'audition, j'ai constaté avec surprise que je jouais sans défaillir. Mes mouvements énergiques ne témoignaient pas de la nuit passée sur la corde à linge… attachée par les cheveux. Et mon teint de pêche ne révélait pas non plus que Nathaly m'avait réveillée la veille en me lançant un verre d'eau au visage, dix minutes avant le début de notre cours, parce que j'étais en train de développer une relation fusionnelle avec mon lit.

Merci à ma jeunesse pour cette étonnante capacité de récupération.

Malheureusement, la fin de mon audition a eu l'effet d'un cataclysme subtil. Rien n'explosait. Aucun jury n'éclatait de rire. J'avais accompli un sans-faute technique, ce qui signifiait que j'avais été en parfaite maîtrise de mon instrument, malgré les enjeux. Ne comprenant rien à ce qui s'était passé, j'essayais de percevoir les réactions des juges, comme un homme perdu dans le désert scrute l'horizon en quête d'une oasis. J'espérais y trouver un début de réponse. Un indice. Un mouvement intérieur quelconque.

Et puis, j'ai compris. Les juges n'essayaient pas de cacher leurs émotions, puisqu'ils n'avaient pas été touchés… du tout. Je m'étais présentée devant eux sans haut-le-cœur et sans perdre pied. Mais mon corps, ma tête et mon cœur ne se parlaient plus. Je jouais sans vibrer. J'enchaînais des notes sans me tromper, comme la jeune fille travaillante et perfectionniste que j'étais. Sauf que je n'ajoutais rien à la partition. Ni mélancolie, ni légèreté, ni allégresse, ni colère, ni blessure. Rien.

J'avais été ordinaire…

: :

Réunis dans un auditorium, les participants du concours attendaient les résultats. Certains refusaient les contacts visuels pour éviter que les autres y lisent l'ampleur de leur désarroi. D'autres souriaient avec un semblant de calme, certains que leur performance pouvait les placer parmi les meilleurs. Je faisais évidemment partie du premier groupe.

Assise aux côtés de Nathaly, dans le coin le plus éloigné de la tribune, je lui tenais la main en silence. Lorsqu'elle était revenue de son audition, j'avais immédiatement perçu le nuage de fierté et d'allégresse sur lequel elle flottait.

— C'était fou ! m'avait-elle dit avant même que je la questionne. J'ai fait une minuscule erreur de rythme dans ma première pièce, mais au lieu de capoter, je me suis laissé porter par ce que ça m'a fait sentir. Je pense que je n'ai jamais aussi bien joué ! Toi, c'était comment ?

Impossible pour elle et pour qui que ce soit de trouver un début de réponse dans mon non-verbal. Je savais que je m'étais plantée, mais j'ignorais comment réagir.

— Je suis certaine que je ne serai pas choisie…, avais-je répondu à Nathaly, comme si cela ne me faisait rien du tout. J'ai réussi un sans-faute, mais mon jeu n'avait pas d'âme.

— Lilie, tu ne peux pas prédire leurs décisions ! Tu ne connais pas leurs critères et tu ne sais pas ce que les autres ont fait. Tout le monde peut avoir fait des erreurs.

Une façon gentille de dire que je serais peut-être sélectionnée, si mes adversaires avaient été pires que moi.

— Ça ne sert à rien d'avoir de faux espoirs…, répondis-je.

— Tu es trop dure avec toi !

On m'avait répété cette phrase mille fois dans ma vie, mais elle me semblait désormais vide de sens.

— Non ! m'insurgeai-je. Si je n'avais pas été conne avec toi l'autre soir, j'aurais peut-être eu des chances. Sauf que je me suis présentée à l'audition avec quatre-vingt-cinq pour cent de mes capacités. J'étais en mode postsurvie. Pis je n'ai pas osé me mettre en danger…

La culpabilité qui tapissait les yeux de Nathaly me bouleversait, mais je n'ai rien dit pour la rassurer. Elle ne pouvait pas prévoir que la petite Québécoise n'avait aucune expérience avec l'alcool et que trois bières allaient ruiner ma performance. Je ne lui en voulais pas. J'étais la seule responsable de ce qui m'arrivait. Néanmoins, un fond de mauvaise foi me poussait à lui infliger cet état émotif désagréable pour équilibrer la joie dans laquelle elle baignait depuis son audition.

En fin d'après-midi, les organisateurs avaient convoqué les musiciens. Sachant à quel point nous étions nerveux, ils ont pris seulement cinq minutes pour nous remercier et nous expliquer que cette expérience était le début d'une grande aventure, et non une fin en soi.

On gage combien que les vingt-neuf perdants se contrefichent de vos paroles creuses?

Sans plus attendre, ils ont nommé ceux qui gagneraient dix mille dollars chacun et une invitation au stage d'été à Vienne, toutes dépenses payées:

— Xia Walker-Lang.

Une violoniste. Chinoise. Avec des lunettes. Personne ne peut se battre contre ça.

— William Foster-McAllister.

Un bassiste. Capable de performer en classique, en jazz, en rock et probablement en n'importe quoi. Respect.

— Nathaly Sexsmith.

Enweille, Lilie Jutras, mets-toi un sourire dans la face! Ton amie est en train de vivre un des plus beaux jours de sa vie. Félicite-la!

— Bravo! m'exclamai-je en me dépêchant de lui faire un câlin pour éviter qu'elle voie mon visage se crisper de déception.

Nathaly est allée à l'avant recevoir son prix et prendre la pose pour des photos. J'ai profité de la cohue pour m'éclipser vers ma chambre. Je devais faire mes bagages pour mon vol en soirée et j'avais une envie étrange: appeler mes parents. Je ne savais pas s'il était préférable d'annoncer la nouvelle à mon père ou à ma mère en premier.

— Allô! répondit maman après une sonnerie.

Sa voix me rassurait. J'ignorais pourquoi.

— Salut, c'est moi!

— Voyons donc, Lilie, quessé que tu fais à m'appeler? Ça va nous coûter les yeux de la tête!

Le réconfort a vite fait place à un mélange de frustration et de tristesse.

— Maman, je voulais juste vous donner les résultats, dis-je sans masquer le découragement dans ma voix. Je n'ai pas été prise...

Un bref silence s'est interposé.

— C'est pas grave, réagit-elle avec un fond de tendresse. Au moins, t'as essayé, pis tu sais que c'est pas pour toi.

Sa réaction m'estomaquait.

— Pourquoi tu dis ça ? Je ne me suis pas plantée. Je n'ai pas été choisie…

Je ne savais pas ce qui me choquait le plus : qu'elle ait si peu confiance en moi ou que je pense la même chose qu'elle, au fond de mon moi…

— Aye ! répliqua-t-elle. On va pas s'obstiner sur une longue distance. Ton père pis moi, on a payé pour te donner une chance, mais on ne va pas jeter notre argent par les fenêtres pour rien, tsé.

Ses paroles me grafignaient l'âme.

— De toute façon, à quoi ça servirait que tu sois déçue chaque fois ? ajouta-t-elle. Moi, je pense que tu vas devoir accepter que c'est pas pour toi, tout ça.

Tout ça : les concours, les aspirations professionnelles, la musique…

— Je vais raccrocher, murmurai-je. Je ne me sens pas bien. Et je dois me préparer pour l'aéroport.

Sa conclusion me donnait le vertige.

— Bon vol, là ! Pis tape-toi pas trop sur la tête. Ton père pis moi, on t'en veut pas d'avoir perdu. Je vais te faire une bonne lasagne comme tu l'aimes, demain soir. Ça va te faire du bien.

Comment pouvait-elle vouloir mon bien et me faire autant de mal ? La réponse à cette question n'existait probablement pas. Aucune parole ne pouvait me consoler de ma déconfiture. Le mieux que je pouvais faire, c'était de mettre tout cela de côté. Dans une petite boîte. Ma peine et mes rêves…

— Lilie, es-tu là ? demanda Nathaly en ouvrant la porte et en voyant mon visage défait. Awww, viens ici !

Je me suis réfugiée dans ses bras.

— Tu pars quand ? dis-je sans défaire notre étreinte.

— Dans deux heures. Je vais arriver avant minuit à Calgary et mes parents vont venir me chercher.

— Chanceuse. Moi, je vais être à Québec vers sept heures du matin, et à Matane en fin d'après-midi…

— Oh mon Dieu !

— En ayant l'air d'un gros déchet. Qui pue.

Un sourire en coin, Nathaly avait saisi ma référence à l'insulte que Julia avait lancée quelques jours plus tôt. J'avais l'impression que plusieurs mois s'étaient écoulés.

— *Come on !* rétorqua-t-elle en me donnant une tape sur l'épaule. Donne-moi ton numéro ou ton courriel au lieu de dire des niaiseries. Je veux qu'on garde contact. Tu pourrais me visiter un été à Red Deer !

J'ai souri devant la sincérité de sa proposition.

— Mes parents ne me paieront jamais un autre billet d'avion, mais je vais venir en marchant s'il le faut ! Ça va occuper mes nouveaux temps libres, tsé.

— De quoi tu parles ?

— Je vais arrêter la musique…

— Mais pourquoi ? Tu es méga talentueuse. Tu pourrais…

Je l'ai coupée sur sa lancée, incapable d'entendre à quel point je pouvais être merveilleuse. La différence entre la possibilité et la réalité était trop douloureuse.

— Arrête, s'il te plaît. J'ai besoin de mettre mon cerveau à *off* un peu.

Nous avons échangé des idioties pendant que je finissais mes bagages. Un des organisateurs m'a avisée que le véhicule qui me conduirait à l'aéroport était arrivé. J'ai serré Nathaly dans mes bras trop longtemps, en promettant que nous garderions contact, même si je doutais des amitiés à distance. Dans la minifourgonnette, j'ai retrouvé la jeune flûtiste prodige, quelques musiciens à qui je n'avais pas adressé la parole en plus d'une semaine, et celle que j'aurais préféré ne jamais revoir : Julia la *Bitch* numéro deux. Évidemment, la seule place restante se trouvait à ses côtés. Comme l'idée d'être à cinq centimètres d'elle m'apparaissait aussi agréable que d'avaler un sac de clous, j'ai demandé à l'un des gars au fond s'il voulait changer de siège, avec un ton sans appel. Je me suis assise en le remerciant et je n'ai plus dit un mot du trajet. À l'aéroport, je suis sortie en trombe, sans me soucier des salutations du petit groupe.

L'idée de me rapprocher du décollage et d'un retour à la maison me terrorisait. Je suis allée m'asseoir près de la porte d'embarquement, en mettant ma main sur ma poitrine pour rappeler à mon souffle le chemin à prendre. Quand les passagers de la classe économique ont été appelés, j'ai laissé passer tout le monde devant moi. Mes mains sont devenues moites. Je marchais dans la passerelle menant à l'avion en sentant les battements de mon cœur s'accélérer. Une fois dans l'appareil, ma poitrine s'est serrée. Des larmes ont voilé mon regard lorsque les moteurs se sont mis en marche. Je fixais le hublot en espérant que personne ne soit témoin de mes émotions en différé.

Si je ne les vois pas, ils ne me voient pas...

L'avion a décollé. J'ai enfilé mes écouteurs. Ouvert mon iPod. Et éclaté en sanglots. La dernière chanson que j'avais fait jouer était l'enregistrement d'une pièce interprétée par monsieur Forest durant sa jeunesse. Je l'avais écoutée cette semaine en espérant m'inspirer de sa touche magique... En fin de compte, je rentrais vers le Québec les mains vides, convaincue que je n'avais pas ma place en musique. Je n'avais pas été à la hauteur. Et je ne le serais jamais. La seule idée de revoir mon professeur me mettait dans tous mes états : il croyait encore que je ferais carrière et qu'il contribuait à l'éclosion d'un talent rare.

Échec total.

Je m'imaginais retourner dans son local, lui résumer mon audition et lui parler de mon épisode honteux avec l'alcool. Je prévoyais ses paroles, son regard et sa déception, mais je ne pouvais pas les encaisser. Je n'arrivais pas à me calmer. Mes larmes se mélangeaient à de légers tremblements, sans que je sache les maîtriser. Une agente de bord a compris que quelque chose ne tournait pas rond. Elle s'est assise à mes côtés pour vérifier si j'avais peur de voler et si elle pouvait m'aider. Je lui ai signifié que non, mais la main qu'elle a

posée sur la mienne a vite mis fin aux frissons qui me par-
couraient. J'ai forcé un sourire, tourné le regard au sol et
récupéré mon sac pour trouver un mouchoir. Je suis tombée
sur un bout de carton qui m'a troué le cœur : la tablette de
chocolat que mon père m'avait offerte pour me récompenser
après mon audition...

Je l'ai mangée. Un morceau à la fois. Jusqu'à ce que le goût
de chocolat noir masque l'amertume qui m'empoisonnait.

10

J'ouvrais les yeux sur ma quinzième année, la vue troublée par un voile de désenchantement. J'avais cru que mon anniversaire serait le point culminant de mon automne de dévotion musicale et d'une semaine où j'aurais remporté le concours, avant de jubiler entre ciel et terre, mais mes souhaits s'étaient écrasés sur le sol de ma déception.

Le matin du 9 décembre 2005, alors que le soleil taquinait ma rétine, mes sens espéraient un changement, un signe annonçant l'arrivée de mes pouvoirs magiques. Une fois encore, j'avais souhaité l'impossible : jamais Lilie Jutras ne sera synonyme de singularité. Depuis que mes aptitudes pour la musique s'étaient révélées mécaniquement performantes, mais émotionnellement absentes, je n'avais plus rien à offrir.

Une chance qu'Émile ne m'entend pas penser...

Jamais mon meilleur ami n'accepterait mon autojugement. Avec ses fabuleuses aptitudes mélodramatiques, il me menacerait sûrement de consacrer chaque minute de la prochaine année à me faire réaliser ma valeur. À moins qu'il soit trop occupé à me traiter d'ingrate, puisque je me cachais dans ma chambre depuis mon retour de l'Ouest.

::

Lorsque mon autocar est arrivé à Matane, après des heures de vol, d'attente et de route, j'ai grimpé dans le camion de mon père avec un visage qui découragerait quiconque de me remonter le moral.

— Pis, c'était comment prendre l'avion ?

Ses paroles pragmatiques me réconfortaient. Même si une partie de moi rêvait encore qu'il s'intéresse à ce qui m'avait passionnée pendant des années, sa question terre-à-terre me convenait cette fois. Dans les circonstances, tout commentaire rassurant m'aurait plongée dans un état de frustration, qui cachait maladroitement des couches de tristesse.

— Cool, me contentai-je de dire.

Mon père n'a pas semblé insatisfait de ma réponse. Pendant que nous roulions, il a monté le son de la radio, se disant peut-être que j'avais envie de me changer les idées. Son geste nous évitait aussi d'aborder ma déconvenue : la bourse que je n'avais pas gagnée, les sous qu'ils avaient investis et le caractère peu rentable de mon aventure pancanadienne. À la maison, un étrange silence nous a accueillis. Jonathan et Jérémie étaient à l'aréna et ma mère faisait du ménage chez un client. Je me suis précipitée dans la cuisine pour vider les armoires de tout ce qui pourrait combler, un bref instant, le gouffre qui grandissait dans mon ventre. Vers seize heures, après avoir brièvement salué maman, je me suis écroulée dans mon lit. Les sensations fortes de la dernière semaine et les efforts investis depuis le début octobre avaient bouffé tout ce que j'avais d'énergie.

À mon réveil le lendemain, je tournais dans mon lit en tentant de repousser l'inévitable : l'obligation de me lever et d'exister dans une vie où je ne serais plus musicienne. Je ne savais plus qui j'étais et l'idée de trouver une activité pour remplacer les heures que je consacrais à la flûte me donnait le vertige... Pourtant, mon esprit en quête de légèreté considérait que la matinée de mon anniversaire était le moment parfait pour laisser à mon signe astrologique le soin de me définir. Après avoir vérifié que mes frères étaient partis et que ma mère portait toute son attention à *(insérez ici la tâche ménagère de votre choix)*, je me suis rendue à l'ordinateur familial pour trouver une description du Sagittaire :

La femme Sagittaire est d'une sincérité désarmante. Elle n'hésite pas à dire ce qu'elle pense, mais ne cherche jamais à blesser qui que ce soit. Elle est optimiste, a le cœur et l'esprit ouverts, et elle fait tout pour communiquer la bonne humeur autour d'elle. Elle reste toujours discrète sur ses petits tracas et déteste aborder les sujets graves ou sombres. Elle est indépendante, sait s'occuper d'elle-même et suit la route qu'elle s'est tracée. Si elle a un objectif en tête, elle fera tout pour l'atteindre. Elle sait rebondir et tirer le positif du négatif ; les obstacles ne la découragent pas. Elle a confiance en elle sans jamais être trop prétentieuse. Elle aime découvrir des paysages, expérimenter de nouvelles choses, relever des défis. La femme Sagittaire a en revanche des difficultés à se plier aux règles, principalement à celles de la ponctualité. Elle ne se soumet que très difficilement à l'autorité qu'elle juge souvent abusive ou ridicule. Mais la native est bien dans sa tête et envisage parfaitement de faire des exceptions quand elle juge ces règles néces- saires. La femme Sagittaire n'aime pas la méchanceté, son âme est profondément gentille, mais cela ne la rend pas naïve. Elle attend beaucoup de ses amis et aura tendance à remettre les points sur les « i » si elle le juge nécessaire.

J'étais complètement sonnée devant tant de précisions. Je n'accordais aucune crédibilité aux prédictions des horos- copes, mais je croyais aux grandes lignes décrivant la per- sonnalité des gens nés dans une même période. La preuve : je venais de lire un portrait parfait de mon tempérament. À l'exception du découragement qui m'accablait depuis peu et des doutes quant à ma capacité de rebondir.

Pis pour ce qui est de tirer du positif de ce que je viens de vivre, je pense qu'on va repasser... Fuck la maturité !

Comme je refusais de grandir, je suis retournée sous les draps en milieu d'après-midi pour maugréer contre mon anniversaire. Non seulement je n'avais pas l'esprit à la fête, mais les célébrations de ma naissance n'avaient jamais été réjouissantes : puisque j'étais née seize jours avant Noël, mes parents préféraient m'offrir un plus gros cadeau sous le sapin et j'étais privée de présent le jour de ma fête.

Aurore l'enfant martyre et moi : même combat !

Ma seule consolation prenait la forme d'un gâteau. Le jour où ma mère avait réalisé que sa petite fille aux pleurs inépui- sables se calmait dès qu'elle avait du cacao dans la bouche, elle avait fait du gâteau triple chocolat une tradition. Et quand Jonathan avait été assez vieux pour entrer dans le royaume de ma mère sans se faire chasser comme une bestiole, il avait demandé de s'occuper du glaçage. À douze ans, il avait lamentablement échoué à écrire mon prénom avec du crémage, mais il s'était rattrapé en cachant les lettres avec des pics de glaçage vert ressemblant à des sapins (de Noël) et un symbole musical (une double croche). Le résultat était tellement laid que c'en était beau ! J'ai donc exigé qu'il soit nommé «spécialiste du glaçage manqué» pour les prochaines années.

Des années plus tard, je l'entendais rigoler à la cuisine. Ma mère avait terminé la base de son prochain désastre culinaire. Une odeur sucrée emplissait l'air et me redonnait presque le sourire. Dix minutes plus tard, le mot «presque» est disparu de mon champ lexical.

— Hey, vieille chose, je te propose un *deal,* dit Jonathan à partir du couloir. Si tu laisses ta face d'enterrement dans ta chambre pendant genre une heure, je te donne le droit de licher la spatule.

J'ai poussé un soupir de découragement.

— Va falloir que tu trouves mieux que ça, gars.

Il gloussait derrière ma porte.

— Je le savais que tu répondrais ça, mais c'était juste ma première approche pour te donner le droit de refuser une fois. Pis pour te préparer mentalement à ce que tu vas manquer si tu ne sors pas…

Après cinq secondes de silence, j'ai essayé de lui répondre avec le moins d'intérêt possible dans la voix :

— De quoi tu parles ?

— Le gâteau est déjà prêt ! cria Jérémie qui ne pouvait plus garder le secret de notre aîné.

— Ouin, pis ?

— « Prêt » dans le sens de « on va manger le gâteau avant le souper ».

J'ai ouvert la porte en m'exclamant :

— Pa' pis man' laisseront jamais faire ça !

— Bahhh, reprit Jonathan, je les ai enfermés au sous-sol, attachés, bâillonnés, pis toute pis toute !

Je l'ai cru pendant une fraction de seconde.

— Ben non ! lança-t-il. Ils sont partis faire l'épicerie. Maman est censée faire la lasagne que t'aimes, pendant que le gâteau refroidit.

Nos regards se sont croisés, l'air de dire « on n'est pas programmés pour attendre aussi longtemps ». J'ai couru vers la table où m'attendait la création la plus improbable des quinze dernières années. Jonathan avait finalement maîtrisé l'écriture à base de glaçage et son message était merveilleusement niaiseux : « Beaux pis bons comme nous, y s'en fait pus ! » J'étais obligée de lui donner raison. Mon grand frère avait de formidables aptitudes pour insuffler un vent de légèreté à n'importe quelle situation, même à l'apocalypse de sa sœur. Grâce à lui et Jérémie, mon esprit se vidait pendant que mon estomac se remplissait. Au bout d'une heure, nous nous sommes échoués sur le canapé du sous-sol, assommés par un trop-plein de sucre. Assise à l'envers, la tête près du sol et les pieds au mur, je riais comme une fille qui a fumé beaucoup trop de marijuana, lorsque mes parents sont arrivés.

— Non, non, non! s'écria maman en réalisant que nous avions mangé le dessert avant mon repas d'anniversaire.

Et sans les attendre.

— C'est lequel de vous trois qui a eu c't'idée de sans-génie? demanda mon père en arrivant sur les lieux du crime.

Sans nous consulter, mes frères et moi avons tous pointé un coupable différent, en éclatant d'un rire gras.

— Arghh! éructa papa. Je sais pas ce qu'on a fait au Bon Dieu pour mériter des enfants de même!

Il n'en fallait pas plus pour que nos regards se croisent et que nous hurlions de rire à nouveau. Peu réputé pour sa patience, mon père a lâché un commentaire qui tranchait avec l'atmosphère générale:

— On est censés manger à quelle heure avec vos niaiseries?

— Pas avant deux heures, répondit Jonathan. À moins que vous vouliez avoir notre mort sur la conscience!

— Le soir de ma fête, en plus! ajoutai-je au grand dam de papa.

— Pis on a été fins: on vous a gardé deux pointes de gâteau, renchérit Jérémie en assumant à moitié l'ironie de son commentaire.

Divertie et comblée, j'ai pensé un bref instant que mon quinzième anniversaire chez les Jutras était aussi agréable que ceux célébrés chez les voisins. Chaque année, le trio Leclair et les grands-parents Cournouailler organisaient une soirée – inoubliable – en mon honneur. Mais cette fois, la jeune génération Jutras s'était surpassée. Après trente autres minutes à faire les larves de sofa, nous nous sommes affrontés à Mario Kart au Nintendo 64. Pour une rare fois, la compétition familiale a tourné à mon avantage. J'ignorais si mes frères me laissaient gagner parce que c'était ma fête ou si j'avais enfin prouvé ma supériorité, mais je savourais mon nouveau titre de championne du chemin de la Grève.

Si Émile l'apprenait, il exigerait une nouvelle course pour démontrer qu'il pouvait tous nous battre !

Comme s'il lisait dans ma tête, mon meilleur ami a retonti dans l'entrée quelques minutes plus tard. Les nombreuses pensées que j'avais eues pour lui s'étaient probablement cristallisées dans une dimension intangible où nous faisions de la télépathie, et l'avaient convaincu de me visiter.

— Ah, ouin, j'ai oublié de te dire, marmonna Jonathan qui digérait sa défaite à moitié. Émile est venu hier, pendant que tu dormais…

Hier. Moi sous les draps. La tête enfouie entre mes oreillers. La honte étouffée par la chaleur de mon refuge. Ce lit où j'aurais voulu me cacher jusqu'à la fin des temps. Pour éviter d'affronter les souvenirs de ma défaite.

À la seconde où j'ai entendu ma mère aviser Émile que je me trouvais au sous-sol, ma gorge s'est crispée.

J'ai revu le trop-plein d'alcool qui s'en est échappé quelques jours plus tôt.

Mon ami a retiré ses bottes et son manteau en vitesse, pressé de m'offrir un câlin d'anniversaire et de connaître les détails de ma prestation à Vancouver.

Ma lèvre inférieure s'est mise à trembler, même si j'écrasais la supérieure pour la calmer.

Je savais qu'il allait me bombarder de questions sans accepter mes demi-réponses ni voir les signes de mon non-verbal qui le suppliaient de changer de sujet. Après ce que je lui avais fait subir depuis des semaines, mon meilleur ami n'accepterait pas mon besoin de discrétion.

Il a posé le pied sur la première marche.

Je lui en voulais déjà de ne pas être comme mes parents et mes frères, adeptes des réponses évasives, des conversations creuses et de la curiosité respectueuse.

La deuxième marche.

J'ai pensé à la deuxième bière que j'ai bue, à ma tolérance à l'alcool, à Jonathan qui se vantait de boire huit bières avant de ressentir des effets et au réflexe qui avait eu ma peau : celui de reproduire tout ce que mon frère faisait, aussi bien, sinon mieux.

La troisième marche.

J'ai tout ressenti à nouveau. L'estomac qui tangue. Le cœur après le naufrage. L'arrière-goût de vomi. La gêne d'être si peu douée pour gérer ma première cuite.

La quatrième marche.

Je me souvenais de tout. La recette dégoûtante de Nathaly pour me remettre sur pieds. Les prières répétées pour reprendre le contrôle. L'impression que le monde était en train de se refermer sous mes pieds.

La cinquième marche.

Ce faux sentiment de calme. Ce mensonge auquel ma tête croyait pour contrebalancer ce que j'avais fait subir à mon corps. Une triste mascarade à laquelle j'avais cru en me présentant devant les juges.

La sixième marche.

L'audition. La technique. Parfaite. Lisse. Prévisible. Désincarnée. Choquante de neutralité. Décevante.

La septième marche.

Les émotions prises dans un étau. L'envie de les supprimer de ma cage thoracique. D'abandonner le navire. De me libérer de moi-même.

La huitième marche.

Quitter cette fille qui avait saboté ses projets de contrôle et ses envies de laisser-aller. Celle qui tentait encore aujourd'hui de construire une muraille autour de sa fragilité.

La neuvième marche.

Une fragilité qui se faufilait dans tous les interstices de son être. Se propageait comme un venin. Empoisonnait sa respiration. Déchirait son lien avec la réalité. Et tuait son faux sourire.

Le voilà.

Une crise de panique se préparait. Je devais trouver un moyen de l'anéantir.

— Saluuuuuuut Lilie ! s'exclama Émile en me prenant par le cou. Bonnnnnnne fête !

— Merciiiii ! répondis-je en imitant sa bonne humeur.

— Je me suis dit que je pouvais passer avant votre souper.

— Je pense qu'on ne mangera pas avant huit heures ce soir...

J'ai regardé le gâteau pour lui fournir une explication et détourner son attention.

— Oh mon Dieu, vous avez tout mangé ? Déjà ? Ta mère doit capoter !

Il a formulé sa dernière phrase en chuchotant, mais j'entendais parfaitement ce qui s'en venait.

— On est des guerriers du gâteau ! lança Jonathan comme une bouée de sauvetage à ma noyade inévitable.

— Tu viendras demain à la maison, reprit Émile. Ma mère est déjà en train de préparer ton festin. Mais moi, je me pouvais plus ! Il fallait que je te donne mon cadeau. Pis ça fait juste trop longtemps qu'on s'est vus, tsé...

Je l'ai interrompu avant qu'il fasse un lien avec ce qui m'avait transformée en mauvaise amie depuis deux mois.

— C'est quoi ton cadeau ? demandai-je en fixant le sol.

Je ne pouvais pas risquer qu'il voie ce qui se tramait en moi.

— Attends ! Je veux savoir comment ça s'est passé à Vancouver.

Avec toute l'inconscience du monde, il venait de me lancer une grenade en plein cœur.

— On s'en parlera demain, tentai-je en dernier recours. Ton cadeau m'intéresse ben plus !

Maladroite, j'avais mis le pied sur une mine antipersonnel qui déclencherait tout.

— Comment ça ? relança-t-il. Ça s'est mal passé ? Qu'est-ce qui est arrivé ? Réponds-moi !

Chacun de ses points d'interrogation me torturait, mais son point d'exclamation a fait exploser tout ce que je dissimulais.

— J'ai pas gagné, répondis-je brutalement. J'étais pas de calibre et je l'ai jamais été. Je ne veux plus jamais en entendre parler !

J'avais balancé mes phrases comme des flèches pour taire l'angoisse qui me terrassait. Émile a figé, ne comprenant pas mon agressivité à son égard. J'aurais voulu me rattraper, inventer une excuse, mais j'étais submergée par l'émotion qui le renversait : le rejet. Comme si j'avais trahi le lien précieux qui nous unissait.

Sortant de sa léthargie, mon ami m'a tendu un album photo avec un chou d'anniversaire.

— Je n'ai jamais eu de projet secret pour surprendre mon père. C'était pour toi...

La tristesse de ses paroles me faisait mal. Je l'ai regardé partir sans savoir comment le retenir. Son cadeau contenait une cinquantaine de photos de moi prises à mon insu, comme Paul le faisait avec Maude depuis des années. Ainsi, pendant que je négligeais notre amitié, que je m'inventais une carrière et que je perdais la face à l'autre bout du pays, Émile pensait à moi.

Encore une fois, j'avais tout gâché.

: :

Depuis un peu plus d'une semaine, j'évitais la maison Leclair, accablée par la honte d'avoir maltraité son plus jeune résidant. J'agissais avec Émile comme je le faisais avec mes émotions : je les tenais à distance. Dès que mon cœur tentait de s'exprimer, j'étouffais ses élans avec ma neutralité. À l'école, je déjouais tout le monde avec ma fausse bonne humeur, je mentais sur mes états d'âme et je détournais toutes les discussions susceptibles de me rendre émotive. La plupart des gens n'étaient pas équipés pour accueillir mon désarroi et préféraient croire que ma légèreté était inébranlable, comme si je leur confirmais que la joie existait en ce bas monde.

À quelques jours du congé des fêtes, je profitais des examens à venir pour m'étourdir d'études et de lecture.

Comprendre ici : je chérissais l'idée de bourrer mon crâne d'informations peu utiles pour oublier mes malheurs.

Ironiquement, comme j'étais une banale mortelle dénuée de pouvoirs magiques, je n'avais pas encore trouvé le moyen d'effacer le symbole qui me rappelait sans cesse la musique : le chemin que j'empruntais si souvent pour me rendre chez monsieur Forest. Depuis mon retour, je n'avais pas trouvé le courage de le revoir… ni de retourner ses appels. Je ne me sentais pas assez solide pour affronter sa déception. Je préférais faire déborder mon cerveau de règles, de théories et de chiffres dont la nature prévisible et dénuée d'émotions me rassurait. Je traînais dans les couloirs de la polyvalente. Je perdais mon temps pour rentrer chez moi. Et je m'arrêtais sur chaque détail pouvant détourner mon attention.

Jusqu'à ce que ce détail soit des cheveux en bataille d'une blondeur inimitable à trente mètres de moi. Je fuyais Émile depuis des jours, mais aujourd'hui, sa silhouette avait sur moi l'effet d'un aimant. Je devais le rejoindre, courir derrière lui, crier son nom comme une perdue et lui exprimer mes regrets avec un trop-plein d'adjectifs et d'adverbes.

Ou non.

À l'instant où j'allais m'élancer, il s'est retourné, comme s'il m'avait sentie. Ne sachant pas s'il devait me bouder ou faire un pas vers moi, il a fixé un point devant lui jusqu'à ce que je le rejoigne. J'ai fait comme si je ne comprenais pas qu'il m'attendait. Je lui ai tapé sur l'épaule. Et toutes mes belles paroles ont été remplacées par l'évidence :

— Je m'excuse, dis-je en sentant mes lèvres trembler.

Je ne pouvais pas laisser mes émotions aller plus loin. Je devais reprendre le contrôle.

— J'ai été tellement conne l'autre jour. Tu ne méritais pas ça. Je ne sais pas pourquoi j'ai été sèche comme ça. Non, c'est pas vrai… je sais pourquoi, mais je ne suis pas capable d'en parler. Pas maintenant. Peut-être un jour. Mais pas maintenant.

Il a planté ses yeux doux dans mon regard, avant d'ouvrir la bouche :

— As-tu aimé ton cadeau ?

Une question plutôt qu'une réplique. Une porte de sortie au lieu d'une vengeance. Une raison de plus de garder Émile comme meilleur ami jusqu'à la fin des temps.

— Je n'aurai jamais assez de mots pour t'exprimer à quel point c'était beau ! Sérieux, c'est quoi le secret pour que je paraisse aussi bien ?

— Vraiment beaucoup de Photoshop ! lança-t-il en riant comme s'il n'avait pas ri depuis des siècles.

Je lui ai donné une tape dans les côtes, ignorant si je pouvais rétorquer ou si j'étais en probation amicale.

— Pour vrai, reprit-il, j'ai travaillé là-dessus comme un fou, mais tout se faisait naturellement. Comme si chaque angle, chaque éclairage, chaque contexte existaient déjà dans une autre dimension et que j'avais juste à être disponible pour les découvrir. Pis, tsé, quand tu photographies une beauté qui s'ignore, ça peut juste donner quelque chose de magnifique.

Mon purgatoire d'amie ingrate était officiellement terminé. Je l'ai serré contre moi pendant une minute, en faisant le plein de son odeur, de son énergie et de tout ce qui composait l'être humain unique qu'il était. Au fond de moi, je savais que notre amitié était trop forte pour mourir aussi bêtement, mais j'étais profondément soulagée de voir que mon erreur était pardonnée.

— Est-ce qu'on peut aller chez vous? demandai-je en réalisant à quel point la maison Leclair me manquait. Ça fait trop longtemps… J'ai besoin de décrocher de l'étude, un peu. Il me reste juste un examen. Pis entre toi et moi, je me fous pas mal de ma note. J'ai juste envie d'être avec toi sans regarder le temps passer.

Un éclat d'émotion s'est glissé dans ses yeux bleu-vert.

— On pourrait regarder Nicole et Ewan dans *Moulin Rouge* pour la dix-septième fois, en mangeant la croustade aux framboises que ma mère a faite hier. Après ça, je te conterai tous les potins que tu as manqués cet automne à l'école, en faisant ta snob.

Une part obscure de mon esprit a voulu se rebiffer, mais elle m'aurait fait plonger dans la sphère musicale de ma mémoire. Et il n'en était pas question.

— OK, grand niaiseux, dis-je en lui tapotant la joue. Penses-tu que je pourrais dormir chez toi?

J'avais une envie irrépressible de replonger dans nos jeunes années. Une époque dénuée de responsabilités, d'espoirs et de rêves brisés.

— Ben kin! J'ai déjà tout prévu pour te faire parler dans ton sommeil. Comme ça, je n'aurai pas à te questionner sur Vancouver et tu vas pouvoir faire comme si ça n'existait pas. Avoue que je suis le meilleur ami du monde!

— Le meilleur, marmonnai-je en roulant des yeux.

: :

Parmi les qualités qui faisaient d'Émile mon humain favori, je pensais toujours à sa personnalité incomparable, sa connaissance profonde de ma personne, son humour qui ne me laissait jamais indifférente et… ses parents. Après avoir mis le point final à mon dernier examen, je m'étais dirigée vers le chemin de la Grève, en bifurquant chez mes voisins. Je savais que mon meilleur ami m'y rejoindrait dans deux heures, mais je mourais d'envie d'y aller. Probablement parce que c'était le lieu familier le moins associé à la musique. Et surtout grâce à ses propriétaires.

Dès que j'ai aperçu Paul, je lui ai sauté dans les bras. Avec son voyage en Islande, ma virée britanno-colombienne et la période d'évitement que je m'étais imposée, nous avions passé presque deux mois sans nous voir.

— Je me suis tellement ennuyée! m'exclamai-je en resserrant mon étreinte.

— Moi aussi, cocotte, répondit-il en me donnant un bisou sur la tête. Je suis pas habitué d'être aussi longtemps sans voir ma préférée!

Venant d'un indépendant en puissance, ces mots valaient de l'or.

— Tu ne pars plus jamais aussi longtemps, et je m'arrange pour ne plus éviter Émile, parce que j'ai trop honte de qui je suis, promis?

— Promis.

— Est-ce que je peux voir tes photos ? demandai-je surexcitée.

J'étais chaque fois soufflée par le talent de mon meilleur ami, mais j'avais encore un léger penchant pour son papa photographe, dont l'expérience et la sensibilité rendaient chaque image si vibrante.

— Dans quelques semaines. J'ai encore beaucoup de travail à faire avant de les montrer.

— C't'idée aussi d'attendre que tout soit parfait avant de montrer vos affaires… Maudits photographes !

Paul me fixait, le regard amusé.

— Moi, je connais une jeune fille qui n'a jamais voulu nous donner un aperçu de son talent, malgré les supplications du clan Leclair au complet ! lança-t-il avec la même verve que son fils. Une chance que tu participais à des compétitions une fois de temps en temps pour qu'on aille te voir.

— Eee… de quoi tu parles ?

— Ben, de toutes les fois où on s'est rendus à Rimouski pendant tes concours, sans que tu le saches.

— Non !

J'étais es-to-ma-quée.

— On a soudoyé ton prof pour savoir où tu jouais et comment te voir en cachette.

— Mais vous avez donc ben pas d'allure ! dis-je, partagée entre la surprise et la joie qu'ils aient tenu à me voir.

— C'est pas de ma faute! ajouta-t-il faussement innocent. C'est Émile qui a tout patenté.

La pomme n'est pas tombée loin de l'arbre!

— Sais-tu quoi? Je pense que je vais déposer une plainte à la DPJ. Vous avez clairement manqué à votre devoir de parent en n'inculquant pas à votre fils le respect des désirs d'autrui.

— C'est qui ça « autrui »? Moi, je suis juste au courant de ses histoires avec ma lilliputienne chérie…

C'est officiel: Paul Leclair est aussi niaiseux que sa progéniture!

Pourtant, je ne pouvais rien ajouter quand il utilisait le surnom de mon enfance.

— Awwww, tu m'as tellement manqué! dis-je en lui redonnant un câlin.

Paul a profité de mon ouverture pour oser une question:

— Est-ce que je peux te demander ce qui s'est passé à Vancouver?

Ma poitrine s'est crispée.

— Tu as le droit…, chuchotai-je en pointant mes iris vers le sol.

— T'évites mon regard pour pas que je voie la tristesse au fond de tes yeux?

La tendresse enrobant ses mots a eu l'effet d'un baume.

— Je ne suis pas capable d'en parler, dis-je avec une voix éteinte. Ça fait trop mal…

— T'es pas obligée. Mais si un jour tu veux me raconter, t'auras pas besoin de jouer à la forte. Pas avec moi...

Paul déchiffrait mes états d'âme sans effort depuis qu'on se connaissait.

— Je me suis à moitié plantée durant mon audition, finis-je par dire. Je n'ai pas vraiment fait d'erreur... sauf que j'ai bu deux jours avant mon audition. J'étais comme endormie. Ben, pas endormie, mais disons, pas complètement allumée. Il me manquait la petite étincelle qui transforme chaque note en quelque chose de plus.

Il a mis sa main sur mon épaule.

— T'avais raison tantôt, marmonna-t-il. On mérite une plainte à la DPJ... On n'a pas appris à nos enfants comment boire !

Sa réaction à mes malheurs était si imprévisible que je me suis étouffée en ravalant mes larmes.

— Vous êtes tellement idiots, Émile et toi ! Je ne comprends pas ce que vous avez dans le sang. C'est clair que vous venez d'une autre planète !

Des bruits de pas dans l'entrée ont précédé la voix féminine capable d'apaiser tous les maux du monde :

— Ça expliquerait sûrement pourquoi tu te sens bien chez nous ! lança Maude en nous rejoignant.

Paul a échangé un regard de connivence avec sa douce.

— Penses-tu qu'on devrait lui demander un loyer ? suggéra-t-il.

— Hmm, à partir de dix-huit ans, répondit la *mamma*. En attendant, c'est encore à notre tour de la gâter !

Son dernier verbe a suffi pour illuminer mon visage. Les Leclair ne m'avaient pas encore donné leur cadeau.

— Va m'attendre au salon, demanda-t-elle avec une gentille autorité. On n'aimerait pas ça que tu saches où on cache nos cadeaux.

L'ironie dans son visage valait un million de dollars. Maude et Paul savaient très bien que leur fils avait un jour découvert le pot aux roses, aidé de sa jeune voisine. Peu avant le jour de Noël 1999, Émile avait fouillé la maison avec une frénésie décuplée, prétextant que le passage du nouveau millénaire provoquerait peut-être la fin du monde tel que nous le connaissions et qu'il était primordial de savoir enfin où ses parents dissimulaient leurs surprises d'année en année. Lorsqu'il avait découvert trois de ses cadeaux dans une petite trappe secrète, située dans la chambre noire de son père, mon ami avait tué l'un des plus grands plaisirs des festivités : l'anticipation. Le 25 décembre, sa fausse surprise l'avait immédiatement trahi.

Cinq ans plus tard, mes parents par procuration sont arrivés au salon avec un coffre bleu foncé vieillot, aux armatures argentées.

— Nos cadeaux sont à l'intérieur, révéla Maude. Quand j'ai parlé à mes parents de ce qu'on préparait, mon père a insisté pour fabriquer le coffre. Je pense que ça faisait son affaire que tu boudes Émile quelques jours. Ça lui a donné le temps de faire plus de finition.

Sacré Maurice…

J'étais partagée entre la gêne d'avoir maltraité leur garçon et la joie d'être à ce point gâtée. Dans le coffre, Maude et Paul avaient placé la vidéocassette de mon premier anniversaire chez eux, la recette du gâteau fromage et noisettes que la *mamma* n'avait plus le droit de cuisiner depuis que son premier essai avait révélé l'allergie de son fils à ce type de noix, ainsi qu'une montre de poche renfermant une photo d'Émile et moi prise l'été dernier, quand on se battait comme des enfants dans la mer. Ses parents trouvaient toujours le moyen d'amalgamer nostalgie et modernité, consommable et «conservable», le tout généralement fait maison. J'étais médusée par mes cadeaux.

— Ça te plaît pas? demanda Paul à moitié sérieux.

— Mais non! m'empressai-je de répondre. Je ne comprends juste pas pourquoi vous êtes aussi fins avec moi.

Maude m'a rejointe sur le canapé.

— Il y a quelques années, Paul et moi, on a réalisé qu'Émile deviendrait vaniteux s'il recevait encore plus d'amour. Alors, on s'est dit que t'étais une pas pire candidate pour recevoir notre surplus d'affection.

L'esprit légèrement embrouillé, j'ai analysé leur non-verbal pour voir s'ils étaient sérieux.

— Cocotte! ajouta Paul. On ne s'est jamais posé de questions. Tu es la meilleure amie qu'on pouvait rêver pour notre gars, et on t'a tout de suite adoptée. On t'aime, c'est tout.

La porte d'entrée s'est ouverte sur les entrefaites.

— Sérieusement, c'est notre façon de te remercier de nous donner un *break* de notre gars une fois de temps en temps! lança la *mamma* en sachant très bien qu'Émile venait de rentrer.

— Aye! lança-t-il en nous rejoignant. Depuis quand vous faites des réunions pour parler contre moi?

— Depuis que Lilie est assez vieille pour comprendre ce qu'on vit en étant tes parents, répliqua Paul.

Les trois Leclair se sont longuement relancés pendant que je les observais, sans réfléchir, simplement heureuse de les avoir dans ma vie.

: :

Je ne pouvais pas savourer le privilège de côtoyer ce trio, sans penser à l'autre humain que je chérissais plus que tout: monsieur Forest. Malgré mes efforts pour effacer le souvenir de Vancouver, je n'arrivais pas à me défaire de tous mes liens avec la musique. Comme j'y avais consacré près du quart de ma vie éveillée depuis des années, j'étais prise avec une série d'habitudes qui me ramenaient sans cesse à elle.

Ou à mon professeur...

Plus les jours passaient, plus la culpabilité m'envahissait. Monsieur Forest n'avait certainement pas investi tout ce temps en moi pour que je l'abandonne avec ingratitude. Et comme je m'attribuais déjà suffisamment de défauts, j'ai décidé de me botter les fesses, d'emmitoufler mes craintes sous des habits d'hiver et de marcher jusqu'à sa maison. La porte s'est ouverte sur le visage de sa femme.

— Lilie ? Bonjour ! Mon mari va être content de ta visite !

— Il est là ?

— Oui, oui, dans son bureau. Tu trembles… qu'est-ce qui se passe ?

La température ne pouvait résumer à elle seule mon état.

— Je suis un peu nerveuse, répondis-je en sachant que je ne gagnerais rien à lui mentir.

Avant que j'aie pu lui demander si son mari était furieux contre moi, il est apparu.

— Petite Lilie ! Je suis heureux de vous voir !

— Je ne veux pas vous déranger, formulai-je comme si sa réaction chaleureuse ne suffisait pas à calmer mes appréhensions. Je ne resterai pas longtemps. C'est votre jour de congé…

— Ne dites pas de sottises, j'ai tout mon temps ! Voulez-vous passer dans mon bureau ?

J'ai souri timidement, même si je redoutais ce local chargé de souvenirs. Une fois assise à la place que j'avais occupée des centaines de fois, j'ai plongé dans le vif du sujet, en déballant tout à grande vitesse :

— Je n'ai pas été à la hauteur. Je ne vous ai pas écouté. Je le savais que vous aviez raison, mais j'ai encore fait à ma tête ! Vous m'avez dit combien de fois, mille au moins, que le défi était de me laisser aller, et pas seulement d'être bonne techniquement. Ben, je n'ai pas été capable ! J'ai juste été parfaite, mais ordinaire.

Monsieur Forest a mis sa main sur mon genou pour inter-rompre mon monologue :

— Vous avez appris, non ?

Sa question m'a désarçonnée. J'étais certaine qu'il me demanderait les détails de ma semaine et de mon audition, comme tout le monde. J'étais prête à lui expliquer, quitte à souffrir.

— Oui, mais je me suis plantée…

— Bon, ça, ça m'étonnerait, mais ce n'était pas ma question. Avez-vous l'impression d'être la même qu'avant ?

Je voyais très bien où il voulait en venir, mais je refusais d'af-fronter la réalité.

— Non, sauf que…

— Alors, comment pouvez-vous penser que c'est un échec ?

— Parce que je n'ai pas été prise ! rétorquai-je. Parce que je n'ai pas appliqué ce que j'ai appris ici. Et parce que je n'ai pas montré ce que je suis capable de faire. Je n'avais aucune âme. Comment voulez-vous être fier de ça ?

Monsieur Forest m'a analysée pendant quelques secondes avant de me relancer :

— D'abord, il y a une chose que vous devez réaliser : même quand vous êtes fatiguée, même quand vous avez l'impres-sion d'être au neutre et même si vous faites tous les efforts du monde pour mettre le couvercle sur vos émotions, vous vibrez quand même. Votre sensibilité est trop intense pour disparaître. Peut-être que vous n'avez pas offert votre meilleure performance devant les juges, mais s'abandonner à la musique en concours, ça s'apprend. Vancouver était une belle occasion pour essayer, mais pas la seule. Vous allez avoir d'autres opportunités.

J'ai longuement fixé le mur, le temps de calmer mon Hiroshima intérieur et de rassembler mon courage :

— Il n'y aura pas de prochaine fois…, prononçai-je en sentant chacun des mots me faire mal. C'est fini, la musique.

Un léger trouble accompagnait sa réaction :

— Pourquoi ? Donnez-moi une bonne raison.

Je ne m'étais pas préparée à débattre.

— Je suis incapable d'offrir le petit plus pour me démarquer. Je ne peux pas investir autant d'heures dans quelque chose, si ça ne me mène nulle part. Pis… je pense que vous surestimez mon potentiel.

Mon professeur a accusé le coup en soupirant sèchement par le nez.

— Je ne pense pas, non, rétorqua-t-il avec tendresse et fermeté. Je ne crois pas non plus que toutes vos heures de répétition ont été vaines. Chaque fois que vous prenez votre flûte, vous vous connectez à vous-même, vous vous écoutez, vous exprimez ce que vous avez dans le ventre et vous grandissez. Chaque fois…

— Peut-être, mais là… c'est terminé, bredouillai-je en recommençant à trembler. Je suis désolée de vous décevoir comme ça. Je le sais ce que ça signifiait pour vous, Vancouver, et je n'ai pas…

— Ce n'est pas moi qui compte ! Peu importe les espoirs que j'ai fondés en vous et ce que vous choisissez pour le futur, ça n'effacera jamais le bonheur qu'on a partagé pendant des années.

— Mais j'ai tout gâché !

— Écoutez-moi bien, Lilie Jutras : vous n'avez rien gâché du tout. Vous avez essayé. Vous avez appris. Et vous avez vécu. Pourquoi je regretterais de vous avoir guidée vers ça ?

— Parce que je ne suis pas aussi spéciale que vous le pensiez…

— Vous l'êtes cent fois plus que vous l'imaginez ! Aucun juge ne va me convaincre du contraire. J'ai toujours dit à ma femme que vous n'étiez pas comme les autres. Vous voulez toujours comprendre ce que je vous propose, au lieu de l'exécuter sans rien dire. Vous me challengez. Vous n'avez pas peur de vos opinions. C'est extrêmement précieux pour moi. Et je ne suis pas seulement heureux d'être votre professeur, je suis choyé de vous avoir dans ma vie. Vous êtes la jeune fille la plus sensible que je connaisse. Vous êtes vive, drôle, pleine de répartie et débordante de vie ! Malgré ce qui s'est passé à Vancouver, je vais toujours vous garder une place dans mon cœur.

J'étais sans voix. Le cœur trop plein d'amour. Et les yeux surchargés de larmes qui voulaient toutes sortir en même temps, pendant que j'essayais d'exprimer ce que j'avais au fond des tripes :

— Moi, je m'endors chaque soir en remerciant la vie de vous avoir mis sur ma route. Vous êtes la personne la plus exceptionnelle que j'aie rencontrée. Je ne peux même pas imaginer comment je vais faire pour avancer sans venir vous voir chaque semaine.

L'œil humide, monsieur Forest me fixait comme pour s'assurer que ses paroles résonnent jusque dans mon âme.

— Vous serez toujours la bienvenue, Petite Lilie. Et un jour, on va rejouer de la musique ensemble. On ne peut pas faire autrement...

: :

Quelle étrange journée!

Deux heures plus tôt, Émile m'a invitée avec enthousiasme à jouer dehors. Quand mes frères m'ont vue enfiler un habit de neige, ils ont voulu se joindre à nous. Je ne savais pas ce que je trouvais le plus louche : que mon meilleur ami veuille faire du sport ou que les garçons Jutras se mêlent à notre tandem. Il n'y avait aucune animosité entre Jérémie, Jonathan et Émile, mais ils n'avaient jamais été proches non plus. Peut-être parce que je prenais toute la place. Peut-être parce que j'étais trop obnubilée par mon nombril pour voir que les gars s'entendaient mieux que je le croyais. Ou peut-être que le projet photo de Mile et Jo avait installé entre eux une forme de respect, voire de bonne entente.

Peu importe.

Nous nous sommes retrouvés pour une séance de football hivernal. Mes frères rivalisaient d'ingéniosité pour réaliser des réceptions spectaculaires. Ils multipliaient les courses folles et les sauts périlleux, sans jamais se soucier de la quantité de neige qui se faufilait dans leur dos, fiers de voir Émile sortir son appareil pour immortaliser leurs prouesses de petits singes gaspésiens. Après une demi-heure, Jo a suggéré à mon ami de poser son objectif et de pratiquer quelques lancers à ma place.

Déception totale.

Émile trouvait toujours de nouvelles façons de rater ce qu'on attendait de lui, ce qui faisait hurler de rire mes frères. Bon joueur, Jonathan a pris un moment pour lui donner quelques conseils. Jérémie et moi attendions à dix et vingt mètres de distance pour attraper ses lancers, de plus en plus précis, au fur et à mesure qu'il intégrait les instructions.

— Lilie, recule ! dit Émile avec confiance. Je suis sûr que je suis capable d'atteindre au moins trente mètres !

Même si j'étais sûre qu'il échouerait, j'ai ajouté plusieurs pieds entre nous. Étonnamment, mon ami m'a presque fait mentir en envoyant le ballon entre Jérémie et moi. Nous avons frôlé la collision en essayant de l'attraper.

— Reste dans ton coin ! vociféra mon cadet.

Jonathan et Émile, en tête-à-tête, cherchaient quoi corriger pour que mon ami atteigne son objectif. J'en ai profité pour observer la mer gelée qui nous espionnait en arrière-plan et j'ai été submergée de souvenirs, de mon envie de voir l'horizon, de quitter Matane et de me refaire une vie grâce à ma flûte...

Une nouvelle vie qui ne voulait plus rien dire...

Sans musique, je ne savais plus qui j'étais ni ce que je ferais, le jour où je quitterais la région. Les options de carrière étaient nombreuses, mais je refusais de choisir une profession sans passion. Après quinze ans à observer mes parents avancer dans la vie sans satisfaction professionnelle, je ne pouvais pas concevoir une existence semblable. Heureusement, je n'étais pas née dans les années soixante, mon père était trop conservateur pour vouloir léguer son garage à sa fille, ma situation d'ado m'assurait de ne pas trop ressembler à ma mère, et j'avais encore le temps de me trouver de nouveaux talents. Ou de miser sur ceux que j'avais déjà. Comme mes aptitudes sportives.

Il n'est peut-être pas trop tard pour rêver aux Jeux olympiques. Il me manque juste une discipline!

— Lilie, qu'est-ce que tu fais? cria Émile pressé de retenter sa chance. Prépare-toi!

Reportant ma réflexion sur mon avenir d'athlète, je me suis retournée vers lui dans la seconde. Juste assez vite pour observer la force et la trajectoire de son lancer, mais pas assez pour réaliser que son projectile n'était plus un ballon de football… mais une balloune remplie d'eau et de colorant alimentaire rouge!

— Arkkkkeeeee! criai-je écrasée dans un tas de neige qui semblait avoir été le témoin d'un meurtre sanglant. Vous êtes donc ben cons!

Les trois gars se tordaient de rire.

— Tu ne pensais quand même pas que j'avais oublié de me venger pour la *slush* au tabasco? demanda Émile.

Il s'approchait le sourire fendu jusqu'aux oreilles.

— C'est pas juste! Moi, je prépare mes mauvais coups toute seule!

— On a presque rien fait pour l'aider, dit Jonathan en échangeant un regard malicieux avec notre voisin.

— Tsé, c'est quoi cinq heures d'entraînement pendant que t'étais à Vancouver pour que j'apprenne à lancer comme du monde ? dit Émile avec un ton empreint d'ironie.

Je me suis relevée en observant mon reflet dans une fenêtre : un désastre. Échevelée et suintante, je portais un habit de neige mauve taché de rouge, avec plusieurs éclaboussures sur les joues, dans le front et dans le cou.

— Pis je gage que t'as demandé du colorant alimentaire à ta mère pour ta niaiserie ! ajoutai-je en prenant un ton mélodramatique. Tout le monde s'est mis contre moi !

Émile a regardé Jonathan, qui a regardé Jérémie, qui a regardé Émile. Et j'ai compris. Aucun des trois n'avait vérifié la composition de ce qui tapissait mon visage.

Scandale.

: :

Mon teint retrouvait peu à peu sa couleur normale après quarante-huit heures d'angoisse, une crise d'apoplexie de ma mère en me voyant l'air, un appel à la ligne Info-Santé, un produit nettoyant beaucoup plus chimique qu'efficace, des prières envoyées à tous les dieux auxquels je ne croyais pas vraiment, puis de longues minutes à imaginer mes frères et mon meilleur ami punis à vie pour leur stupidité.

Le matin du 24 décembre, je scrutais le miroir de la salle de bain, lorsque la sonnette a retenti.

— Maman ! hurlai-je sans réponse. Jo ? Allez répondre !

Réalisant que personne ne bougerait, j'ai couru vers la porte, ouvert et hurlé intérieurement.

— Hey, salut!

Alexis Séguin se tenait devant moi avec ses patins dans les mains. Il venait probablement chercher Jo.

— Ah, non! dis-je en cachant ma grosse face avec ma petite main. Tu ne peux pas me voir comme ça!

Alexis Séguin comme dans «le gars qui me fait shaker des rotules».

— T'as une drôle de façon de montrer que t'es contente de me voir.

— Arrête de faire ton charmeur! Je suis affreuse...

Il a pris un moment pour inspecter mon allure avant de répliquer:

— Je te l'ai dit la première fois qu'on s'est parlé: c'est joli, le rose, sur ta peau bronzée...

Un frisson m'a parcourue. Comme si j'avais perdu le contrôle de mon enclos à papillons et que des centaines de bestioles volaient dans tous les sens. Évidemment, j'ai eu toute la misère du monde à formuler la suite:

— Je pense que tu as trop bien étudié le livre *Comment séduire Lilie Jutras en cinq étapes...*

— Content d'apprendre que ça fonctionne, dit-il en rougissant à son tour. Mais il va falloir que tu me rafraîchisses la mémoire, parce que je me rappelle juste quatre moments: la fois où tu as refusé de me donner ton numéro, la fois où tu as hésité entre ta carrière en musique et ma belle face, la fois où tu as compris que je n'étais pas juste *cute* et que je comprenais ta vie pas mal plus que tu le pensais, pis la fois à l'aréna.

Je me suis avancée vers lui en approchant ma tête de son menton, oubliant volontairement mon apparence.

— La cinquième, c'est quand tu ne rouspètes pas, parce que j'ai envie de t'embrasser.

Les yeux pleins de surprise, Alexis a penché la tête vers moi, ne sachant pas s'il devait prendre l'initiative de notre premier baiser. Je me suis mise sur la pointe des pieds. J'ai posé mes lèvres sur les siennes. Fermé les yeux. Et pris la décision que nous allions recommencer souvent.

Très souvent.

REMERCIEMENTS

Merci Anne-Marie Villeneuve, mon éditrice, de croire en moi depuis si longtemps, de me stimuler le cerveau et de savoir allier travail et plaisir. Merci de me pousser à être meilleur. Merci de toujours trouver les mots. Merci d'avoir fait bifurquer le gouvernail de ma vie en acceptant de me publier la première fois, il y a cinq ans. Merci de toujours avoir envie de faire avancer le paquebot de mon imagination.

Merci à Maëlle Dancause de guider mes séances de remue-méninges avec intelligence et sensibilité. Merci d'exister.

Merci à Kim, Nicolas, Maxim, Isabelle et Margaux d'avoir posé vos yeux sur mon histoire et d'avoir partagé vos commentaires pertinents, éclairants, touchants et parfois très divertissants ! Vos réactions à elles seules m'ont confirmé à quel point j'avais bien fait de plonger dans ce projet !

Merci à l'auteure-compositrice-interprète Ariane Moffatt de m'avoir permis d'utiliser les paroles de sa chanson pour illustrer ce que vivait Lilie avec émotions et poésie.

Merci à l'équipe des Éditions Druide de propulser mes idées avec autant de talent et de doigté.

SAMUEL LAROCHELLE

Un jour, on m'a demandé : «As-tu déjà pensé à écrire pour les ados ?» Instantanément, mon cerveau a pris feu ! Des centaines d'idées se sont mises à tourner dans ma tête. La même semaine, j'ai donné des conférences devant 150 élèves du secondaire. Mes rencontres avec eux ont tellement été agréables que j'ai vu ça comme un signe. Je devais me lancer dans une nouvelle série de romans pour ados. Rapidement, mon but est devenu très clair : je voulais vous faire passer par toute la gamme des émotions, vous faire rire souvent, pleurer parfois, réfléchir peut-être. Sur le besoin de performer à tout prix, sur la passion, sur les choix qu'on fait dans la vie. Sur l'importance de prendre soin de nos relations. Mais surtout, je croisais les doigts et les orteils pour que vous adoptiez Lilie, Émile, Maude, Paul, monsieur Forest et tous les autres. Je souhaite du plus profond de mon cœur que vous ayez hâte de découvrir ce qui va leur arriver, parce que j'ai assez d'idées pour des suites et des suites !

samuel.larochelle
samuelLarochel
samuel_larochelle
samuel_larochelle@hotmail.com

ACHEVÉ D'IMPRIMER EN DÉCEMBRE 2017
SUR LES PRESSES DE MARQUIS IMPRIMEUR,
QUÉBEC (CANADA).